哲学がわかる

科学哲学　新版

哲学がわかる

科学哲学 新版

サミール・オカーシャ　直江清隆、廣瀬覚 訳

A Very Short Introduction

Philosophy of Science

岩波書店

PHILOSOPHY OF SCIENCE
A Very Short Introduction, Second edition
by Samir Okasha

First edition published in English in 2002
Second edition published in English in 2016
by Oxford University Press, Oxford.

Japanese translation of the first edition published 2008,
this translation of the second edition published 2023
by Iwanami Shoten, Publishers, Tokyo
by arrangement with Oxford University Press, Oxford.

ソロモンとジョウルへ

謝 辞

本書の執筆にあたり，さまざまなコメントや示唆を頂戴したビル・ニュートン＝スミス，フィリップ・キッチャー，エリザベス・オカーシャ，シェリー・コックス，ならびにオックスフォード大学出版局の校正担当者に感謝する．初版について感想や批判，コメントを寄せてくれた数多くの読者にもお礼を言いたい．それらの意見は，この第2版を準備する過程でなるべく取り入れるようにした．

目 次

装幀・中尾 悠

図版一覧

1　科学とは何か

科学とは何か．答えは簡単だと読者はお考えだろうか．物理学や化学や生物学などが科学で，芸術や音楽や神学が科学でないことは，誰でも知っているではないか，と．しかし，われわれが哲学者として「科学とは何か？」と問うとき，そのような答えを求めているのではない．世に「科学」と呼ばれるもののリストが欲しいのではなく，リストにあるものすべてに共通する特徴，科学を科学たらしめるものが何なのかを知りたいのだ．そういう趣旨であれば，答えは必ずしも自明とはいかない．

それでも，けっして面倒な問題ではないと読者は言われるかもしれない．「科学とは，われわれの生きるこの世界を理解し，説明し，予測する試みのはずではなかったか．」なるほど，これはもっともな答えだ．だがそれで話が片づくとは思えない．世のさまざまな宗教もまた世界を理解し説明しようとしているが，ふつう宗教が科学のひとつと見なされることはない．占星術や運勢判断もしかり．どちらも未来予測の試みではあるが，これを科学と呼ぶ人は少ないだろう．歴史学はどうか．歴史家は過去に何が起きたかを理解し説明しようとする．しかし，歴史学は基本的に人文学のひとつとされており，科学の一分野とは見なされない．結局，多くの哲学の問題がそうであるように，

「科学とは何か？」という問いもはじめの印象より厄介なのだ．

科学の科学たる所以は，世界を探究するその方法にあるという人も多い．これはなかなか説得力のある意見だ．多くの科学が，ほかの学問分野には見られない独特の研究方法を採用しているからである．わかりやすい例が実験だろう．歴史的に見れば，近代科学の発展において，実験という手法の採用はひとつの転換点をなしている．もっとも，すべての科学で実験が行われるわけではない．天文学者が天体を使って実験をするのは明らかに無理な話であり，綿密な観測で我慢するしかない．同じことは社会科学の多くについても言える．さらにもうひとつ，科学の重要な特徴として理論構築を挙げておこう．科学者は，実験や観察の結果を漫然と日誌に記録するだけではない．一般性のある理論でその結果を説明しようとするのがふつうである．これは必ずしも簡単な作業ではないが，めざましい成功例もある．実験や観察，理論構築などの手法によって，科学者がこんなにも多くの自然の秘密を解き明かすことができたのはどうしてなのか．それを解明することは科学哲学の重要課題のひとつである．

近代科学の起源

今日の学校や大学では，科学はほぼ歴史を無視して教えられている．教科書はその分野の鍵となるアイデアをなるべく使いやすいかたちで提示することに努め，発見に至るまでの長大でしばしば屈曲した経緯にはほとんど触れずに済ませてしまう．教育の方法として，たしかにこうしたやり方には十分な理由がある．しかし，科学哲学者が関心を寄せる問題を理解するには，科学思想の歴史を多少なりとも知っておくと都合がいい．実際，第5章でお話しするように，科学哲学のすぐれた研究には科学史への周到な目配りが必須であると言われているのである．

近代科学の起源は，おおよそ1500年から1750年にかけてヨーロッパで起きた急激な科学の発展期にある．今日，この急激な発展は科学革命と呼ばれている．もちろん科学研究は古代や中世でも行われており，突然どこからともなく革命が起こったわけではない．古代・中世で支配的だったのはアリストテレス主義と呼ばれる世界観だった．その名のもとになった古代ギリシャの哲学者アリストテレスは，物理学，生物学，天文学，宇宙論の各分野で精緻な理論を展開した．けれども現代の科学者の目には，その考え方も研究方法もひどく奇妙に映るにちがいない．ひとつだけ例を挙げよう．アリストテレスは，地上界のあらゆる物体が4つの元素から構成されていると信じていた．土，火，空気，水の4元素だ．むろんこれは現代化学の教えにそぐわない．

近代の科学的世界観が発展していくうえで，最初の重要な一歩となったのはコペルニクス革命だった．1543年，ポーランドの天文学者ニコラウス・コペルニクス(1473-1543)が，地球中心の宇宙モデルを攻撃する1冊の本を出版した[★1]．地球中心モデルとは，宇宙の中心に静止した地球があり，その周りを惑星や太陽が回っているとするモデルである．地球中心モデルにもとづく天文学——古代ギリシャの天文学者プトレマイオスにちなんで「プトレマイオス天文学」とも呼ばれる——は，アリストテレス的世界観の中核に位置しており，1800年ものあいだほとんど揺らぐことがなかった．ところがコペルニクスの見方は違った．太陽が宇宙の不動の中心であり，地球をはじめとする惑星はその周りを回っていると考えたのである(図1). 太陽中心モデルでは，地球は惑星のひとつに格下げされ，伝統的に認められてきた独自の地位は失われてしまう．当初，コペルニクス説は大きな抵抗に直面した．とりわけカトリック教会の抵抗は激しかった．1616年には，聖書の教えに反するとして，地動説を擁護する書物が禁書に処せられている．しかし100年も経たないうちに，コペルニクス説は定説としての地位を確かなものとしたのだった．

コペルニクスによる革新は天文学の改良をもたらしただけではない．ヨハネス・ケプラー(1571-1630)やガリレオ・ガリレイ(1564-1642)の仕事を通じて，それは近代物理学の発展にも寄与している．ケプラーは，惑星がコペルニクスの考えたような円軌道ではなく，楕円軌道を描いて太陽を周回していることを見出した．惑星運動の第1法則と呼ばれるものだ．さらに第2法則と第3法則では，太陽を周回する惑星の速さが明確にされた．ケプラーの3つの法則は，何世紀にもわたって天文学者を悩ませてきた問題を解決するなど，惑星運動の理論として見事な成功をおさめたのだった．一方，終生変わることなくコペルニクス説を支持し続けたガリレオは，望遠鏡のパイオニアの一人でもあった．彼は自作の望遠鏡を天に向け，月の山，星々の巨大な集まり，太陽黒点，木星の月など，数多くの驚くべき事実を見出した．その発見は，どれもがアリストテレスの宇宙論と根本から衝突するものであり，科学者のコミュニティーをコペルニクス説へと宗旨替えさせるうえで決定的な役割を果たしたのだった．

しかし，ガリレオのもっとも揺るぎない貢献は，天文学ではなく力学にあると言うべきだろう．重い物体は軽い物体よりも速く落下するというアリストテレスの説を反駁したからである．代わって彼が唱え

図１　コペルニクスの太陽中心型宇宙モデル．地球等の惑星は太陽を周回している．

たのは，自由落下する物体は重さにかかわらずみな同じ速さで地面に落ちていくという，直観に反する説だった．（もちろん，実際に同じ高さから羽毛と砲弾を落とせば，砲弾が先に地面に到達する．しかしガリレオは，これはたんに空気抵抗のせいであり，真空ではふたつは同時に落下するだろうと述べている．）さらに彼は，自由落下する物体は一様に加速する，つまり等しい時間に増加する速度は等しいと主張した．いわゆる自由落下の法則である．ガリレオが裏づけとして挙げた証拠は，決定的とまではいかないものの説得力があった．この法則は彼の力学の要をなしている．

ガリレオは，最初の，真の意味での近代的な物理学者と目されている．落体や投射体といった物体の振る舞いを記述するのに，数学の言語が使えることをはじめて示したからだ．われわれの目から見れば，これは至極当然のことに思われる．今日の科学理論では，物理科学だけでなく生物学や社会科学も，数学の言語で表現するのが定跡だからである．けれどもガリレオの当時，これはけっして自明のことではなかった．数学は純粋に抽象的な対象についての学であり，現実の物理的対象に当てはめることはできないと考えられていたのだ．ガリレオの仕事でもうひとつ革新的な点は，実験による仮説のテストに力点をおいたことだろう．現代の科学者には，これもやはり当たり前の話に聞こえるかもしれない．しかし，ガリレオが生きていた当時，実験は必ずしも知識を得るための信頼できる手段とは見なされていなかった．ガリレオによる実験の重視は，今日まで続く自然研究の経験的アプローチの始まりを意味している．

ガリレオの死後，科学革命は急速に勢いを増していった．哲学者であり科学者でもあるフランスのルネ・デカルト（1596–1650）は，ラジカルな新しい「機械論の哲学」を展開した．物理的世界は衝突によって相互作用する不活性な物質粒子から成り立っている，というのがその考え方だった．デカルトは，これらの粒子，すなわち「微粒子」の運動をつかさどる法則が宇宙の仕組みを理解する鍵になると信じた．観察可能な現象は微粒子の運動として余すところなく説明できるだろう――そうした期待のもと，機械論の哲学は，たちまちのうちに17世紀後半でもっとも有力な科学的視点の座へと上り詰めていったのである．この考え方は，大なり小なり今日のわれわれ自身のものでもある．さまざまな機械論の哲学が，ホイヘンス，ガッサンディ，フック，ボイルらによって奉じられた．こうした哲学の広範な受容は，アリストテレス的世界観がついに終焉を迎えたことを示している．

科学革命は，アイザック・ニュートン（1643–1727）の仕事で頂点に達した．主著『自然哲学の数学的原理』が出版されたのは 1687 年のことである．

宇宙が運動粒子から成るとする機械論の哲学者の主張を受け入れた上で，ニュートンはデカルト理論の改良に努めた．その結果生まれたのが，絶大な威力を誇る力学の理論だった．その中心には，運動の 3 法則と，有名な万有引力の原理がある．万有引力の原理によれば，宇宙に存在するあらゆる物体はほかのすべての物体に引力を及ぼしている．2 体間の引力の大きさは，両者の質量の積と，距離の 2 乗に依存する．運動の 3 法則では，この引力が物体の運動にどう作用するかが述べられている．ニュートンは，驚くほど精密な理論を作り上げるとともに，今日「微積分法」と呼ばれる数学的技法も考案している．注目すべきは，ケプラーの惑星運動の法則とガリレオの自由落下の法則が，(小さな修正をともなって)彼の運動と引力の法則から論理的に帰結することが示された点である．つまり，地上と天上の物体の運動は一組の法則群によって説明されたのであり，その法則をニュートンは厳密に定量的に定式化してみせたのだ．

ニュートン物理学はすぐさまデカルトの自然学に取って代わり，以後 200 年にわたって科学の枠組みを提供することになった．この時期，科学への信頼は急速に増していったが，そこにはニュートン理論の成功が大きく与っている．多くの人びとが，彼の理論は自然の真の仕組みを解き明かしてくれたし，また少なくとも原理的にはすべてのことがらを説明する力をもっていると信じたのである．ニュートン流の説明をさらに幅広い現象に適用すべく，緻密な努力がなされていった．18 世紀から 19 世紀にかけて，科学はめざましい発展を遂げた．なかでも化学，光学，熱力学，電磁気学の各分野がそうだ．ただしこうした発展は，おおよそのところ，広い意味でのニュートン的な宇宙観の枠内に収まるものと見なされた．科学者たちはニュートンの考え方を基本的に正しいものとして受け入れ，あとは細部さえ埋めていけばいいと考えたのである．

だが，20 世紀初頭になると，ニュートン的な見方への信頼は揺らいでいく．物理学の分野で，相対性理論と量子力学というふたつの革命的な発展が起こったためだ．アインシュタインの相対性理論は，きわめて大きな質量の物体やきわめて高速で運動する物体にニュートン力学を適用しても，正しい結果が得られないことを示した．また量子力学は，素粒子のようなごく小さなスケールの世界でニュートン力学がうまく成り立たないことを明らかにした．相対性理論も量子力学も――とくに後者は――奇妙でラジカルな理論であり，そこで繰り広げられる実在についての主張は常識はずれで，多くの人にとって受け入れにくかったり理解さえ困難であったりする．これらの理論の登場は，物理学の世界に概念上の激変をもたらした．変動の嵐は今日も止んではいない．

ここまで簡単に科学の歴史について説明してきたが，その焦点は主として物理学に絞られていた．これは偶然ではない．物理学は，歴史的にきわめて重要であるとともに，もっとも根本的な学問とも言えるからである．ほかの科学の研究対象は，それ自体として見れば物理的対象から形づくられており，その逆ではないからだ．たとえば植物学について考えてみよう．植物学者が研究するのは植物だが，これは細胞からできている．細胞は生体分子からなり，生体分子は突き詰めれば原子の集まりである．原子は物理的な粒子だ．したがって，植物学が扱う対象は物理学の対象ほど「根本的」ではない．もっとも，重要度が劣ると言いたいのではもちろんない．この点については第3章であらためて論じるとしよう．それでも物理科学以外の分野にまったく触れずに済ますのは，いくら近代科学の起源の素描とはいえ，あまりに不十分だろう．

生物学においてとくに際立つのは，チャールズ・ダーウィンの自然選択による進化の理論の発見である．この仕事は1859年に『種の起源』で発表された．それまでは，『創世記』が教えるように，異なる種は神がそれぞれ別個に創造したものであると広く信じられていた．ところがダーウィンは，いわゆる自然選択のプロセスを経て，祖先の種から進化したものが現生種だと主張したのである．自然選択は，からだの特徴のおかげで，一部の生物がほかのものよりも多くの子孫を残すときに起こる．そうした特徴が子孫に受け継がれれば，やがてその集団は環境にますますうまく適応していくことになる．このプロセスは単純だが，きわめて多くの世代を経ることで，種はまったく新しい種へと進化しうる――そうダーウィンは論じたのである．自説の裏づけとして彼が集めた証拠は説得力にあふれていた．そのため，神学の側から少なからぬ異論があったにもかかわらず，進化論は20世紀初めに定説として受け入れられることになる．そして，その後の研究によってダーウィンの理論は見事に確証され，現代の生物学的世界観の要をなすに至るのである．

20世紀は，生物学の分野でもうひとつの革命を経験した．変革はいまも進行の途上にある．分子生物学と分子遺伝学の登場である．1953年，ワトソンとクリックが，生物細胞の遺伝子を構成する遺伝物質であるDNAの構造を突き止めた(図2)．ワトソンとクリックの発見は，遺伝情報が細胞から細胞へとどのようにしてコピーされ，親

図2　ジェイムズ・ワトソンとフランシス・クリック．1953年に発見した有名な「二重らせんモデル」──DNAの分子構造モデル──とともに．

から子に伝えられるかを説明した．子が親に似る理由がこれで説明されたわけである．彼らの発見は，胸の躍るような生物学の新分野を切り拓いた．生物学的現象の分子基盤を研究する分子生物学がそれだ．ワトソンとクリックの研究から70年を経たいま，分子生物学は急速な成長を遂げ，遺伝や発達など生物学の中核的プロセスについての理解を書き換えた．2003年には，ヒトの遺伝子全体を分子レベルで記述する10年にわたる試み──ヒトゲノム計画──が完結した．医療やバイオテクノロジーにとってそれがもつ意味は，ようやく研究の緒についたところだ．21世紀には，この分野でさらにスリリングな展開が見られるにちがいない．

この70年は，資金や物資や人材がかつてない規模で科学研究に投じられた時代だった．そうした結果のひとつとして，新しい科学分野の急増を指摘することができる．計算機科学，人工知能研究，神経科学などである．20 世紀後半には認知科学の興隆があった．知覚や記憶や推論といった，人間の認知活動のさまざまな側面を研究する学問である．伝統的な心理学は，これによってすっかり様変わりしてしまった．認知科学を何よりも強く駆り立てたのは，人間の心がある点でコンピュータに似ており，人間の心的過程はコンピュータの実行する演算になぞらえて理解できる，というアイデアである．一方，神経科学の分野では，脳そのものの仕組みが研究されている．脳スキャン技術の進歩のおかげで，人間の(そして動物の)認知活動を支える神経基盤の解明が神経科学者によって始まったところだ．この研究にはそれ自体としてきわめて重要な意味があるが，それだけでなく，精神疾患の治療法の改善につながる可能性も秘めている．

経済学や人類学，社会学などの社会科学もまた，20 世紀に盛んになった分野である．しかし，洗練の度合いと予測の能力という点で，社会科学はいまだ自然科学に後(おく)れをとっているという意見もある．ここからひとつ，方法論をめぐる興味深い問題が浮かび上がってくる．社会科学者は自然科学者と同じ方法を用いるべきだろうか，それとも彼らの研究にはべつのアプローチが必要なのだろうか，という問題だ．これについては第 7 章であらためて考えることにする．

科学哲学とは何か

科学哲学の主な仕事は，さまざまな分野の科学で用いられる研究方法の分析である．この仕事がなぜ科学者自身ではなく哲学者に委ねられねばならないのか，読者はいぶかしく思われるかもしれない．けだし当然の疑問だろう．これについては，哲学の視点から考察することで，科学的探究に伏在する前提を明らかにできるかもしれない，というのがひとつの答えになる．例として，科学実験について考えてみよう．科学者が実験を行って，ある結果を得たとする．何度か実験を繰り返しても，得られた結果に変わりはない．すると，彼らはおそらくそこで実験をやめるだろう．もし正確に同じ条件のもとでこのまま実験を続ければ，同じ結果が得られるだろうと確信して．彼らがそのように考えるのは当然だと思われるかもしれない．しかし哲学者としては，このような前提の正しさを問い質したくなるところである．今後も実験を繰り返せば同じ結果が得られると考えるのはなぜなのか．そう考えることがどうして正しいと言えるのか．こうしたいささか奇妙な問題に，科学者が長い時間頭を悩ますことはまずない．彼らには，もっとやりがいのある仕事があるだろうからだ．これはまさしく哲学の問題なのである．

科学哲学の仕事のひとつは，科学者が当たり前として顧みない前提を問い質すことだった．ただし，科学者が哲学の問題を論じることはないと思うなら，それは間違っている．実際，歴史を振り返れば，科学哲学が発展するうえで多くの科学者が重要な役割を担ってきたことに気づく．デカルト，ニュートン，アインシュタインがよく知られた例だろう．科学はどう営まれるべきか，どのような研究方法を採用すべきか，その方法はどれだけ信頼していいのか，科学の知識に限界はあるのか．こうした問題に，彼らの誰もが深い関心を抱いていた．これらは現代の科学哲学にとっても重要な問題である．科学哲学者が関心を寄せる問題には，一部の大科学者も注意を向けていたのである．

しかし，そうは言っても，今日の科学者の多くが科学哲学にほとんど無関心で，知識も持ち合わせていない点は認めざるをえない．たしかにこれは不幸な事態ではある．だが，哲学の問題がもはや時代後れであることを意味するわけではない．むしろ，それは科学の専門化が進んだ結果であり，現代教育の特徴である理系と文系の二極化の結果なのだ．

それでもまだ，科学哲学がいったい何をテーマにしているのか，ピンと来ないという読者もおられるかもしれない．「科学の方法を研究する」のが科学哲学であると言うだけでは，大した説明にはならないからである．そこで，もっと内容のある定義を試みる代わりに，科学哲学の古典的な問題をひとつ取りあげて，それについて考えてみることにしよう．

科学と疑似科学

本章の冒頭の問いを思い出してほしい．「科学とは何か？」という問いである．20 世紀の有力な科学哲学者カール・ポパーは，反証可能性こそが科学理論の根本的特徴だと考えた．理論が反証可能であるとは，理論が偽であるということではない．経験に照らしてテスト可能な，何らかの明確な予測が理論から導かれるという意味である．もし予測が誤りだとわかれば，理論は反証——偽であると証明——されたことになる．つまり反証可能な理論とは，偽であることが判明するかもしれない理論，特定の経験とは両立しない理論のことだ．科学理論と称されるもののなかには，この条件を満たしておらず，したがって「科学」の名に値しないものがある，とポパーは考えた．それらは疑似科学にすぎないというのである.

疑似科学の例としてポパーが好んで挙げたのが,フロイトの精神分析理論だった.フロイトの理論は,いかなる経験的知見とも調停可能だろう.患者がどのように振る舞おうと,フロイト派にはそれが説明できてしまう.連中が自分の理論の誤りを認めることは,けっしてあるまい——そうポパーは主張したのである.彼は次のような例を挙げている.自分の子どもを殺そうとして川に突き落とす男と,自らの命を犠牲にしてその子を助けるもう一人の男を想像してみよう.フロイト派からすれば,どちらの男の行動もたやすく説明がつく.前者は抑圧を抱えていたが,後者はそれを昇華させたのだ,という具合である.抑圧や昇華,無意識的欲求といった概念を用いることで,フロイト理論はいかなる臨床データとも両立可能なものとして解釈できるとポパーは主張した.つまり,フロイト理論は反証不可能というわけだ.

ポパーによれば,同じことがマルクスの歴史理論にも当てはまる.工業の発達した社会では,資本主義が社会主義に,そしてついには共産主義に取って代わられるだろう,とマルクスは述べた.しかし,実際に事がそう運ばなくても,マルクス主義者はマルクスの理論の誤りを認めはしなかった.代わりに,実際に起きたことが自分たちの理論と完璧に整合的である理由を,場当たり的に説明してみせるのが常だった.たとえば,社会が共産主義へと移行するのは不可避だが,福祉国家の興隆によってプロレタリアートが「懐柔」され,革命への情熱が弱められてしまったために,一時的にその歩みが遅れてしまったのだ,というように.こんなふうに説明すれば,フロイト理論と同様,マルクスの理論もあらゆる出来事と両立可能なものとして解釈することができる.したがって,ポパーの規準によるかぎり,いずれも本物の科学理論とは呼べないのである．

ポパーは，フロイトやマルクスの理論をアインシュタインの重力理論，いわゆる一般相対性理論と対比する．フロイトやマルクスの理論とは異なり，アインシュタインの理論ではきわめて明確な予測が下された．はるか彼方の星から放たれた光は，太陽の重力場によって曲げられるだろう．そして，ふつうであればこの効果は観察できないが，日食時にはそれが可能になるだろう，という予測である．1919年，イギリスの天体物理学者サー・アーサー・エディントンは，ふたつの観測隊を組織して，その年の日食の観測に臨んだ．アインシュタインの予測をテストすべく，チームのひとつをブラジルに，もうひとつをアフリカの大西洋沖に浮かぶプリンシペ島に送ったのである．果たせるかな，彼らは恒星の光が予測値とほぼ同じだけ太陽によって曲げられることを見出すのだ．ポパーはこの出来事に深い感銘を受ける．アインシュタインの理論では明確で厳密な予測がなされ，その正しさが観察によって確証された．かりに恒星からの光が太陽によっては曲げられないと判明したならば，アインシュタインの誤りが示されることになっただろう．したがって，アインシュタインの理論は反証可能性の規準を満たしている――そうポパーは考えたのである．

科学と疑似科学のあいだに境界線を引こうというポパーの試みは，直観的には，かなりの説得力があるように思われる．どのような経験的データにも適合するように解釈できる理論など，たしかに胡散臭いにちがいないからだ．しかし多くの哲学者は，ポパーの規準があまりに単純すぎると見ている．ポパーは，理論とデータが食い違うように見える場合でも，自説が反駁されたとは認めず，適当な説明で言い逃れをしているとして，フロイト派やマルクス主義者を批判した．たしかにそうしたやり方は問題だろう．ところが，ほかでもないそのようなやり方が「まっとうな」科学者たち，つまりポパーであっても「疑似科学に手を染めている」とは言いたくないであろう人たちによってふつうに用いられ，それが重要な科学的発見につながったことを示す証拠があるのだ．

ここでも天文学の例が役に立つ．先ほど述べたように，ニュートンの引力理論は太陽を周回する惑星の軌道を予測してくれるものだった．その予測の正しさは，観察によっておおむね裏づけが得られていた．ただし，天王星の軌道の観測値については，ニュートン理論の予測値とのあいだに絶えず食い違いが見られた．この謎は，1846年にふたりの科学者の手で，それぞれ独立に解決される．イギリスのアダムズとフランスのルヴェリエである．未発見の惑星があって，その惑星の分だけ余計に天王星に対して引力が働いているのではないか，というのが彼らの考えだった．ふたりは，この惑星の引力が実際に天王星の奇妙な振る舞いの原因だとした場合，その惑星がもたねばならないと推定される質量と位置を計算した．ほどなく海王星が発見される．それは彼らが予測したのとほぼ同じ位置であった．

アダムズとルヴェリエのやり方を「非科学的」だと批判すべきでないのは明らかだろう．なにしろ，そのおかげで新しい惑星が見つかったのだから．けれども彼らの行いは，ポパーがやり玉に挙げたマルクス主義者の振る舞いとなんら変わりがない．ふたりは天王星の軌道に関して不正確な予測を導いた理論——ニュートンの引力理論——から出発した．しかし，ニュートンの理論は誤りにちがいないなどとは結論せず，理論を固持し，新たな惑星を仮定することで，理論と観察結果の食い違いを説明しようとした．同様に，資本主義に共産主義への移行の兆しが見られないことについて，マルクス主義者はマルクスの理論が誤っているとは結論せず，その理論を固持し，理論と観察結果の食い違いをべつのやり方で説明しようとした．だとすれば，マルクス主義者のしていることを疑似科学と非難しておきながら，アダムズとルヴェリエの仕事を模範的とすら言えるすぐれた科学研究と評するのは，およそ公平を失する態度ではないだろうか．

科学と疑似科学とのあいだに境界線を引こうというポパーの試みは，一見するかぎり説得的に見えたものの，実は必ずしも正しいとは言えないことがわかる．アダムズとルヴェリエのケースはけっして特別ではないからだ．一般に科学者は，観察データとの食い違いが見つかっても，あっさりと理論を放棄したりはしない．理論を棄てずに食い違いを解消する道を探ろうとするのがふつうである（第５章を参照）．また，どんな理論も，必ずと言っていいほど何らかの観察結果と食い違うことを忘れてはいけない．あらゆるデータと完璧に適合する理論を見つけるなど，至難の業なのである．もちろん，理論とデータの食い違いがますます増え，一向に収まる気配を見せず，それを解消するしかるべき手だてもなければ，いずれその理論は棄て去らねばならないだろう．しかし，トラブルの徴候が出るやいなや理論をあっさり放棄するようなら，科学の進歩など望むべくもない．

ポパーの境界設定規準は失敗に終わったが，それによって重要な問題が浮かび上がった．「科学」と呼ばれるものだけに具わる共通の特徴を，余すところなく見つけることが本当にできるのだろうかという問題である．ポパーは，答えがイエスであると決めてかかった．フロイトやマルクスの理論は明らかに非科学的である．だとすると，真の科学理論には具わっているがこのふたつの理論には欠けている，何らかの特徴があるにちがいない――そう彼は感じていたのだ．しかし，フロイトやマルクスに対する彼の否定的評価を受け入れるにせよ拒むにせよ，科学には「不可欠の特徴」があるという彼の前提には疑問の余地がある．科学という営みは均質ではなく，そこには実にさまざまな研究分野や理論が含まれるからだ．科学を科学たらしめる一群の決まった特徴が共有されていることも考えられなくはない．だが，そうではない可能性もある．哲学者のルートヴィヒ・ヴィトゲンシュタインは，「ゲーム」を定義する決まった特徴などないと主張した．あるのは，たいていのゲームによってその大部分が共有される，特徴の緩やかな集まりだけである．どんなゲームであっても，そうした特徴のいずれかを欠いているかもしれないが，それでもゲームであることに変わりはない，と．同じことが科学にも言えるかもしれない．もしそうだとすれば，科学と疑似科学を分ける単純な規準などまず見つかりはしないだろう．

2　科学的推論

この世界について科学者が説く教えには，彼らなくしては望みえなかったものも少なくない．たとえば，人間がチンパンジーとごく近しい間柄であるという生物学者の教えや，アフリカと南アメリカがかつてひとつだったという地理学者の教え，宇宙が膨張しつつあるという宇宙学者の教えがそうだ．けれども，科学者はこうした途方もない結論にどうやってたどり着いたのだろうか．そもそも，ある種がべつの種へと進化したり，一個の大陸がふたつに分裂したり，宇宙がだんだん大きくなったりする場面を目撃した者など誰一人いないのだ．答えは言うまでもないだろう．彼らは推論の手続きによってこうした信念に至ったのである．信念の中身はさておき，この手続きについてもう少し詳しく知っておくのも悪くはない．科学的推論とはいったいどういうものだろうか．

演繹と帰納

論理学には，演繹的推論と帰納的推論という重要な区別がある．略して演繹と帰納ともいう．演繹的推論とは，たとえば次のようなものだ．

フランス人の男はみな赤ワインを好む.
ピエールはフランス人の男だ.

ゆえに，ピエールは赤ワインを好む.

横線の上のふたつの言明を推論の前提といい，下の言明を結論という．これが演繹的推論なのは，前提が真ならば結論も真にならざるをえないという性質をもつからである．もしフランス人の男がみな赤ワインを好むということが真で，ピエールがフランス人の男であるということが真ならば，ピエールはたしかに赤ワインを好むということが導かれるのだ．この性質は，「前提が結論を含意する」という言い方でしばしば表現される．もちろん，この推論の前提はほぼ確実に真ではない．赤ワインは嫌いだというフランス人の男もいるにちがいないからである．だがそれは問題ではない．この推論が演繹的推論とされるのは，前提と結論のあいだにしかるべき関係があるから，つまり前提が真であることが結論も真であることを保証するからなのだ．

推論のすべてが演繹的推論というわけではない．次の例を考えてみよう．

この箱からはじめに取り出した5つの卵はみな新鮮だった.
卵に記された賞味期限はみな同じ日付だ.

ゆえに，もうひとつ卵を取り出せば，それも新鮮にちがいない.

これはいたって賢明な推論のように見える．けれども演繹的推論ではない．前提が結論を含意しないからだ．たとえはじめに取り出した5つの卵が新鮮でも，またすべての卵に同じ賞味期限のスタンプが押してあったとしても，6つめの卵が腐っていることは十分考えられる．つまり，前提が真でも結論が偽になることが論理的に可能であるため，この推論は演繹的ではないのである．こうした推論は帰納的推論と呼ばれる．すでに調べ終わった対象に関する前提から，未調査の同種の対象に関する結論へと進むのが，帰納的推論の代表例である．いまの例では卵がその対象だ．

演繹的推論は，その兄弟分にあたる帰納的推論よりも安全である．推論が演繹的なら，真なる前提から出発すれば真なる結論に必ず行き着けると言ってかまわない．ところが帰納的推論では，真なる前提から出発しても偽なる結論に行き着いてしまうことが十分ありうる．だが，こうした短所こそあるものの，われわれは日常生活で絶えず帰納的推論をあてにしていると言えそうだ．たとえば朝起きてコンピュータのスイッチを入れるとき，いきなり爆発することはないと誰もが確信している．それはなぜだろうか．これまで毎朝コンピュータのスイッチを入れても，爆発することなど一度もなかったからである．しかし，「これまでコンピュータのスイッチを入れても爆発しなかった」から「次にスイッチを入れても，コンピュータは爆発しない」を導く推論は帰納的であって，演繹的ではない．たとえこれまで爆発しなくても，次に爆発することは論理的にありうるからだ．

科学者も帰納的推論を用いているのだろうか．どうやら答えはイエスらしい．ダウン症候群という疾患について考えてみよう．遺伝学者によると，ダウン症者の21番染色体は，通常2本のところが3本ある．遺伝学者はどうやってそれを知ったのだろうか．もちろんその答えは，数多くのダウン症者を調べたら全員の21番染色体が1本多いことがわかった，というものである．そこで彼らは帰納的に推論して，未調査の患者も含めたすべてのダウン症者が通常より１本多い染色体をもっていると結論したのだ．この推論は帰納的であり，演繹的ではない．可能性は低いとはいえ，検査したサンプルが母集団を代表していないことも考えられるからである．いまの例が特別というわけではない．かぎられたデータから一般的な結論を導く科学者は，つねに帰納的に推論しているのである．彼らにとって，それは平素から行っている手続きなのだ．

帰納法は科学において中心的な役割を担っているが，われわれの言葉づかいのせいで，この事実がなかば覆い隠されてしまうこともある．たとえば新聞に，遺伝子組み換えトウモロコシが食べても安全であることの「実験的証明」を科学者が見つけたという記事があったとしよう．この記事が意味しているのは，科学者が問題のトウモロコシを多くの人に試験的に摂取させたところ，害を被った者はいなかったということである．しかし厳密に言えば，たとえばピュタゴラスの定理が数学者によって証明されるのと同じ意味で，トウモロコシの安全性が「証明」されたわけではない．「遺伝子組み換えトウモロコシは，被験者の誰にも害を与えなかった」から「遺伝子組み換えトウモロコシは万人に無害である」を導く推論は帰納的であり，演繹的ではないからだ．新聞記事は，正しくはこうあるべきだった――「遺伝子組み換えトウモロコシが人間にとって安全であることのすぐれた**証拠**を科学者は見つけた」と．「証明」という言葉は，厳密には，演繹的推論についてだけ用いるべきだろう．言葉の厳密な意味で，科学の仮説がデータによって真であると証明されることは，たとえあるとしてもごく稀でしかない．

「科学が帰納的推論に大きく依拠しているのは明らかだ．実際それはわかりきったことであって，いまさら理由を並べるまでもない.」これが大方の哲学者の意見だろう．ところが驚くことに，それを認めない哲学者がいる．前章で登場したカール・ポパーだ．科学者は演繹的推論だけ使えれば十分だと言うのである．もし本当にそうなら，どんなに素晴らしいだろう．先ほど述べたように，演繹的推論は帰納的推論よりも安全だからである．

ポパーの論法は，基本的には次のようなものだ．有限のデータにもとづくかぎり，科学の理論(あるいは仮説)が真であることは証明できないが，偽であることの証明ならば可能である．いま一人の科学者が，あらゆる金属片は電気を通すという仮説をテストしているとしよう．たとえ調べた金属片がみな電気を通したとしても，この仮説が真であると証明されたわけではない．その理由はすでに見た．しかし，もし電気を通さない金属片がひとつでも見つかれば，この理論は争う余地なく反駁される．「この金属片は電気を通さない」から「すべての金属片は電気を通すという主張は偽である」を導く推論は演繹的推論だから，つまり前提は結論を含意するからである．したがって，科学者の狙いが，理論が真であることの立証ではなく反駁にあるならば，帰納的推論によらずともその目標は達成できることになる——.

ポパーの論法の弱点は明らかだろう．科学は，理論の反駁だけでなく，どの理論が真か(あるいは真である可能性が高いか)を明らかにすることも目指しているからである．なるほど，何か特定の理論——たとえば論敵の理論——の誤りを示すことを目的として，実験データの収集がなされるケースも考えられなくはない．しかし，自分の理論が正しいことを人びとに納得してもらおうとする場合の方がはるかにふつうだろう．そのためには，何らかの帰納的推論に訴えるしか道はない．

科学は帰納法なしでもやっていけることを示そうとしたポパーの試みは，けっして成功していないのである．

ヒュームの問題

帰納的推論は論理的には完璧と言いがたいが，それでもこの世界に関する信念を形成する方法としては，理にかなっているように思われる．これまで太陽が毎日昇ってきたという事実は，明日もそうなると信じる理由として十分ではないだろうか．「明日太陽が昇るかどうか，まったく見当がつかない」と公言する人物がいたとしたら，頭がおかしいとは言わないまでも，ずいぶんと奇妙な人だと思われるにちがいない．

けれども，われわれが帰納法に寄せるこの信頼は，なぜ正当と言えるのだろうか．帰納的推論を拒む者に対して，その誤りを納得させるにはどうしたらいいのだろうか．18 世紀のスコットランドの哲学者デイヴィッド・ヒューム(1711-76)が出した答えは単純で過激だった．彼は，帰納法の使用を合理的に正当化することはできないと断じたのである．たしかにわれわれは，日常生活でも科学でも絶えず帰納法を用いている．だが――とヒュームは言う――それは理性を欠いた動物的習性にすぎない．帰納法を用いることが許されるしかるべき理由を挙げろといわれても，満足のいく答えなどありはしないのだ――．

この驚くべき結論に，ヒュームはどうやって到達したのだろうか．彼はまず，われわれが帰納的推論を行うときには必ず，いわゆる「自然の斉一性」というものを前提しているらしいと指摘する．この概念でヒュームが何を言おうとしているのかを理解するために，先ほどの例を思い起こそう．「箱から最初に取り出した5つの卵は新鮮だった」から「6つめに取り出す卵も新鮮だろう」を導く推論，「調査したダウン症者はみな，染色体が1本多かった」から「ダウン症者はみな，染色体が1本多い」を導く推論，「うちのコンピュータはこれまで爆発しなかった」から「うちのコンピュータは今日も爆発しないだろう」を導く推論である．いずれの推論も，ひとつの前提に依拠しているように見える．未調査の対象も重要な点で調査済みの対象と似ている，という前提だ．この前提こそ，ヒュームの言う「自然の斉一性」にほかならない．

だが，どうして自然の斉一性という前提が正しいと言えるのだろうか，とヒュームは問う．ひょっとしたら，何らかの方法でそれが真であることを証明できるのだろうか．「否，それはできない」というのが彼の答えである．自然が斉一ではなく，日毎そのあり方をランダムに変えていくような世界は，容易に想像ができるからだ．ときどきコンピュータがわけもなしに爆発する世界，水を飲んだ人が前触れもなく突然酔っぱらってしまう世界，ビリヤードの玉どうしが衝突しても，反発せずにぴたりとその場に静止してしまう世界…….このような「斉一性を欠いた」世界が想像できる以上，自然の斉一性という仮定が正しいことは証明できない．もしそれが証明できるなら，斉一性を欠いた宇宙は論理的にありえないことになるからだ．

「たとえ斉一性の仮定が証明できなくても，その正しさを裏づける十分な経験的証拠なら見つかるのではないか．というのも，斉一性の仮定がいままで成り立っていたことが証拠として使えるはずだから．」自然の斉一性は今日まで成り立っていたのだから，自然の斉一性を真と見なす十分な理由があると判断してかまわないはずである，という意見だ．だがヒュームによれば，これは論点の先取りである．たしかに自然は，これまでおおよそ斉一に振る舞ってきた．だが――とヒュームは言う――この事実を根拠に，これから先もずっと自然には斉一性が認められるだろうと主張するわけにはいかない．それでは，過去の出来事が未来の出来事の信頼できる指針になることを前提してしまうからだ．だが，この前提は自然の斉一性以外の何ものでもない．経験的根拠にもとづいて自然の斉一性を擁護しようとすると，循環論法に陥ってしまうのである．

ヒュームの指摘の手強さを実感するには，帰納的推論を信頼しない人物に対して，それを信頼するよう読者自身が説得する情景を想像してみればいい．読者は，たとえばこんなふうに説得しようとするかもしれない．「帰納的推論はこれまで見事にうまくいったじゃないか．科学者は帰納法を使って，原子を分裂させたり，月面に人を送ったり，レーザーを発明したりした．けれども，帰納法を用いてこなかった連中はろくな死に方をしなかった．栄養になるんじゃないかと思ってヒ素を口にしたり，空を飛べるんじゃないかと思って高いビルから飛び降りたり．そうである以上，帰納的推論が割に合うのは明らかだろ？」しかし，これで懐疑家が納得することはもちろんない．これまでうまくいったから帰納法は信頼できるというのは，帰納的推論そのものだからだ．このような論証は，すでに帰納法を信頼している人にしか説得力をもたない．これがヒュームの議論のポイントだ．

この魅力的な論証は，科学哲学に大きな影響力をふるってきた．（ポパーは，科学者が演繹的推論さえ使えれば十分であることを示そうとしたが，彼がそのように試みたのも，帰納法を正当化できないことがヒュームによって明らかになったと考えたからだ．）ヒュームの論証のインパクトがどれほどのものかは，容易に想像がつく．一般に，科学は合理的探究の模範と目されているからである．科学者がこの世界について教えてくれることに，われわれは絶大な信頼を置く．ところが科学は帰納法にもとづいており，その帰納法は，ヒュームの論証によれば合理的な正当化を拒むものらしい．もしヒュームが正しければ，科学の基礎は期待に沿うほど堅固ではなさそうに思えてくるのである．こうした悩ましい状況は，「ヒュームの帰納法の問題」と呼ばれている．

哲学者たちは，ヒュームの問題に，まさしく何十通りものやり方で答えてきた．今日でもこれは活発な研究分野になっている．この問題に対しては，「帰納法の正当化」を求めたり，それがないことを嘆き悲しんだりするのは，突き詰めてみれば筋の通らない話だという応答がある．ピーター・ストローソンは 1950 年代以降に活躍したオックスフォード大学の哲学者だが，彼は次のようなアナロジーを用いてこの見方を擁護している．いま，ある行為が合法かどうかを心配している人がいたとしよう．彼が心配を振り払いたいと思うのなら，法律書をひもといてみればいい．しかし，その法律自体が合法的かどうかを心配する人がいたらどうだろうか．これは何ともおかしな心配である．なぜなら法律とは，法律以外のことがらについて適法かどうかを判断する基準にほかならず，基準自体が法にかなっているかどうかを問うことはほとんど意味をなさないからだ．同じことが帰納法にも当てはまるとストローソンは言う．いわく，帰納法とは，世界について抱いた信念が正当かどうかを判断するのに用いられる基準のひとつである．したがって，帰納法自体が正当かどうかを問うことはほとんど意味をなさない，と．

ストローソンは，ヒュームの問題を首尾よく解消できたのだろうか．

できたという哲学者もいれば，違うという哲学者もいる．しかし，そもそも帰納法が満足のいくかたちで正当化できるのかどうか，はっきりしないというのが大方の意見だろう．（ケンブリッジの著名な哲学者フランク・ラムジーは，1926年の論文で，帰納法の正当化を求めるのは「もともと不可能なことを望むのに等しい」と記している．★2）これは本当にわれわれを不安にさせたり，科学への信頼を揺るがしたりするような問題なのだろうか．答えるのは容易ではないが，読者自身で考えてみてほしい．

最善の説明を導く推論

これまでわれわれが検討してきた帰納的推論は，みな基本的に同じ構造をしていた．どの場合も，推論の前提は「これまで調べたFはみなGだった」という形をしており，結論は「ほかのFもGである」という形だった．要するにこれらの推論は，すでに調べた事例からまだ調べていない事例へと進むものとなっていた．こうした推論が日常生活でも科学でも幅広く用いられていることはすでに見た．しかし，この単純なパターンには収まらない非演繹的推論もよく見うけられる．次の例について考えてみよう．

> 食料置き場のチーズが消えて，あとには切れ端だけが残っていた．
> 昨晩，食料置き場からは何かを引っ掻くような音が聞こえた．
> ---
> したがって，チーズはネズミに食べられたのだ．

この推論が演繹的でないことは明らかである．前提は結論を含意しない．チーズは，メイドさんが失敬して，ネズミの仕業に見せかけるために切れ端を少し残しておいたのかもしれないからだ．何かを引っ掻くような音がしたのも，ボイラーのオーバーヒートが原因かもしれない．それでも，この推論が穏当なものであることは明らかだろう．ネズミがチーズを食べたという仮説は，「メイドとボイラー」仮説よりもうまくデータを説明してくれそうだからである．メイドさんはふつうチーズを盗んだりしないし，現代のボイラーがオーバーヒートすることも滅多にないからだ．ところが，ネズミはすきがあればチーズを頂戴するのがふつうだし，何かを引っ掻くような音もよく立てる．したがって，ネズミ仮説が真であるとは言いきれないまでも，いろんな事情を考慮してみれば，やはりこれには説得力がある．

この種の推論は「最善の説明を導く推論」(IBE)として知られている[★3]．IBEと帰納法の関係については，わずかながら用語法の混乱が見うけられる．まず，IBEを帰納法のひとつのタイプとしてとらえる哲学者がいる．要するに，演繹的ではない推論をみな帰納的推論と呼ぶ立場である．これに対して，本書のようにIBEと帰納的推論を区別する立場もある．この区分では，「帰納的推論」は，調査済みの事例から未調査の事例についての言明を導く推論を意味するものとして使われる．IBEと帰納的推論は，非演繹的推論のふたつの異なるタイプとされるわけだ．一貫した言葉づかいをするかぎり，どちらの用語法を選んでもかまわない．

科学者は頻繁にIBEを用いる．たとえばダーウィンは，進化論を擁護するために，生物界のさまざまな事実に人びとの注意を向けさせた．これらの事実は，現生種が別個に創造されたと考えると説明は難しいが，進化論がいうように共通の祖先に由来していると考えれば納得がいく．たとえば，ウマの足とシマウマの足には，解剖学的な類似が色濃く見られる．もしウマとシマウマが神によって別個に創造されたのであれば，この事実はどう説明されるだろうか．その気になれば，神はふたつの動物の足を別様に作ることもできたはずだ．しかし，ウマとシマウマが共通の祖先に由来しているとしたら，解剖学上の類似も容易に説明がつく．こうした事実が説明できること，それこそが自説の正しい証拠だとダーウィンは記している．「自然選択説では，上で述べたような種々の事実が数多く説明できるが，同じように満足のいく説明が誤った説にできるとはとても思えないのだ[★4]」

IBEの例として，もうひとつ，ブラウン運動に関するアインシュタインの有名な研究を挙げておこう．ブラウン運動とは，液体や気体中の微小な懸濁粒子に見られるジグザグ運動をいう．ブラウン運動を説明するさまざまな試みが19世紀にはなされている．粒子のあいだに働く電気的な引力で運動が起こるという説や，周囲の環境からの刺激によって引き起こされるとする説，流体中の対流によるとする説などである．正しい説明は，液体や気体が運動する原子や分子から構成されているという，物質の分子運動論を土台にしている．懸濁粒子が周りの分子と衝突し，そのため不安定な運動が生じるというのがその説明である．この説が提案されたのは19世紀の末だが，すぐには受け入れられなかった．当時の科学者の多くが，原子や分子というものの実在を信じていなかったのが大きな理由だ．しかし，1905年にアインシュタインがブラウン運動の巧妙な数学的取り扱いを提案し，そこから導かれる予測の正しさがのちの実験で確証される．アインシュタインの研究以後，分子運動論はブラウン運動についてほかの説よりもすぐれた説明を与えてくれるという評価が急速に固まり，原子や分子の実在を疑う声はやんでいったのである．

データから出発してそのデータを説明する理論や仮説を導くのがIBEだったが，その背景にある基本的なアイデアは単純だ．けれども，競合仮説のなかからデータを「いちばんうまく説明」してくれる説を選ぶには，どうしたらいいのだろうか．何がその判断基準になるのだろうか．よくある答えは，すぐれた説明は単純で無駄がないものでなければならない，というものである．食料置き場のチーズの例についてもう一度考えてみよう．説明を要するデータはふたつあった．チーズが消えたことと，何かを引っ掻く音がしたことである．ネズミ仮説では，たったひとつの原因（ネズミ）を設定してふたつのデータを説明する．ところがメイドとボイラー仮説は，同じデータを説明するのにふたつの原因（食わせ者のメイドとボイラーのオーバーヒート）を設定しなければならない．つまり，ネズミ仮説の方が無駄がないので，よりすぐれていると考えられるのである．ダーウィンの例についても同じことが言える．ダーウィンの理論は，種のあいだの解剖学的類似にとどまらず，生物世界にまつわるさまざまな事実を説明してくれた．たしかに一つひとつの事実をとってみれば，原理的には，ほかのやり方でも説明はできるだろう．しかし，進化論はすべての事実をいっぺんに説明したのであり，だからこそデータの説明として最善だと考えられたわけである．

単純さや無駄のなさをすぐれた説明のしるしとする考え方はなかなか魅力的であり，これがIBEという抽象的な概念を具体的に肉づけするのに役立つことも事実である．しかし，科学者が単純性を推論の指針として使うとなると，ひとつ厄介な問題が浮かんでくる．この宇宙が単純であって複雑ではないと，どうして言えるのだろうか．最少の原因によってデータを説明する理論を選ぶのは，たしかに賢明そうな判断ではある．だが，そうした理論が単純さで劣る理論よりも真である可能性が高いと考えることに，客観的な根拠はあるのだろうか．それとも，科学者が単純性を重んじるのは，理論の定式化や理解が容易になるからでしかないのだろうか．この難問に対する科学哲学者の答えは一致をみていない．

因果推論

科学の大きな目標は，自然現象の原因を見つけることにある．そして，その試みはたびたび成功をおさめている．たとえば気候変動の研究者は，化石燃料の消費が地球温暖化を引き起こしていることを知っているし，化学者は液体を熱すると気化が起きることを知っている．疫学者は，MMR ワクチンによって自閉症が引き起こされることはないと知っている．★5（ヒュームの有名な議論にあるように）因果連関そのものは直接観察できないので，この種の科学的知識は推論によるしかない．しかし，因果推論とはいったいどういうものなのだろうか．

ここでふたつのケースを区別しておくと，話を進めるうえで都合がいい．ある特定の出来事の原因を推論で導くことと，一般的な因果的原理を推論で導くことのふたつだ．例として，「ある隕石の落下が恐竜の絶滅を引き起こした」と，「喫煙は肺がんの原因である」というふたつの言明について考えてみよう．前者は歴史上のある特定の出来事を引き起こした原因についての単称言明であり，後者は(肺がんになるという)ある種類の出来事の原因について述べた一般言明である．いずれの言明も，科学者は推論のプロセスを経てそれを信じるに至ったわけだが，使われている推論には若干の違いがある．ここでは，ふたつめの種類の推論，つまり一般的な因果律を導き出した推論について考えることにする．

いま，とある医学者が「肥満によってうつ病が起きる」という仮説をテストしたいと考えているとしよう．テストはどう進めたらいいだろうか．まず手始めとして，ふたつの性質に相関関係があるかどうかを調べるのが自然だろう．そのためには，肥満体の人から成る大きなサイズのサンプルを調査して，このグループのうつ病の発生率が一般集団よりも高いかどうかを調べればいい．もし発生率が高ければ，サンプルが母集団をきちんと代表していないと考える理由がないかぎり，全人口で肥満とうつ病は相関関係にあると（通常の帰納法によって）推論するのが理にかなっている．

では，そのようにして見出された相関関係は，肥満がうつ病の原因であることを示しているのだろうか．必ずしもそうではない．理系の大学１年生ならお約束のように教わることだが，相関関係は因果関係を含意しない．もちろん，それには相応の理由がある．相関関係はべつのかたちでも説明できるからだ．因果の向きが反対で，うつのために食事の量が増えて肥満になるのかもしれない．あるいは，肥満がうつ病を引き起こすのでも，うつ病が肥満を引き起こすのでもなく，両者ともある共通原因によって引き起こされた可能性もある．たとえば低所得が，肥満の可能性とうつ病発症の可能性をそれぞれべつの因果経路を経て高めるというように（図 3）．もしそうした共通原因があるとすると，集団において肥満とうつ病のあいだに相関関係が成り立つことが予想される．相関関係を示すデータから因果関係を導く推論は必ずしも信頼のおけるものではないが，その大きな理由のひとつが

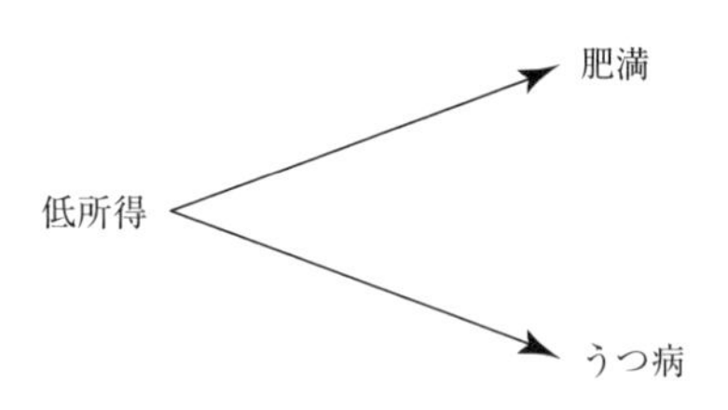

図3 「低所得が肥満とうつ病の共通原因である」
という仮説を表す因果グラフ

この「共通原因」のシナリオなのだ.

低所得が肥満とうつ病の共通原因であるという仮説は，どうしたらテストできるだろうか．はっきりしているのは，同じ所得レベルの個人から成るグループをサンプルとして設定し，そのなかで肥満とうつ病に相関関係があるかどうかを調べねばならないということだ．その作業をいくつもの所得レベルについて実行した結果，所得レベルが同じそれぞれのサンプルで相関関係が消えれば，共通原因仮説を強く裏づける証拠が得られたことになる．所得を考慮すれば肥満とうつ病との関連がなくなることを，それは示しているからだ．反対に，同じ所得レベルの個人のあいだでも肥満とうつ病との強い相関があるならば，それは共通原因仮説を否定する証拠になる．統計学の用語では，この手続きを所得変数の「統制」と呼ぶ.

ここでの基本的なロジックは，現代科学の支柱である対照実験の論理に似ている.「昆虫の幼虫を高温で育てると，成虫時の大きさは小さくなる」という仮説をテストしたいとしよう．そのために昆虫学者はたくさんの幼虫を集め，低温で育てるグループと高温で育てるグループとに振り分ける．そして，成虫になった段階でその大きさを測定する．さて，これが因果仮説のテストとして有効であるためには，温度以外のあらゆる因子をふたつのグループでできるだけ揃えることが重要になる．たとえば，幼虫はすべて同じ種であること，同性であること，同じ餌を与えることなどだ．つまり昆虫学者は注意深く実験計画を立てて，成虫の大きさに影響するおそれのあるあらゆる変数を統制せねばならないのである．そうやってはじめて，2グループの成虫の大きさの違いが温度に起因すると言えるのだ．

対照実験は科学において唯一信頼できる因果推論の方法だ，という意見もある．この種の論者によれば，実験的介入のない観察データだけでは因果関係の知識は得られない．だがこれには異論もある．たしかに対照実験は自然界の秘密をさぐる素晴らしい方法だが，統計的統制によってもほぼ同様のことが実現できる場合も少なくないのである．近年では，観察データから因果関係を推論する強力な技法が統計学者と計算機科学者によって開発されている．因果推論の信頼性について，実験データと観察データとで方法に由来する根本的な違いがあるかどうかは，いまも論争の続く問題である．

現代の生物医科学では，ある特定のタイプの対照実験がとくに重視されている．ランダム化対照試験(RCT)である．これは1930年代にR. A. フィッシャーが考案したもので，新薬の有効性のテストによく用いられる．典型的なRCTでは，重い偏頭痛などの病気をもつ患者たちをふたつのグループに振り分ける．処置群には薬が与えられるが，対照群には与えられない．そして，偏頭痛の緩和などの知りたい効果を2群で比較する．処置群の患者の状態が対照群よりも有意に改善していれば，薬が有効だったことをうかがわせる証拠となる．RCTのもっとも大きな特徴は，最初のグループ分けをランダムに行わねばならない点である．フィッシャーと現代のその信奉者によれば，この手続きは妥当な因果推論にとって欠かすことができない．

ランダム化はなぜそれほど重要なのだろうか．その理由は，自分が調べようと思う結果に対する交絡因子の影響を取り除く一助になるからだ．ふつう，結果は，年齢や食事や運動などさまざまな因子に左右される．そうした因子が余すところなく知られていなければ，意識的に統制することもできない．しかし，患者を処置群と対照群にランダムに割り付けることで，この問題はおおよそ回避が可能である．たとえ薬以外の因子が結果に影響しても，割り付けをランダム化しておけば，一方の群だけに偏ってそうした因子が作用する可能性は低くなる．したがって，処置群と対照群で結果に有意差があれば，まずそれは薬に起因していると考えて差し支えない．もちろん，結果の違いの原因が薬にあることがこれで厳密に証明されるわけではない．しかし，強力な証拠になるのは確かである．

医学では通常，RCT が因果関係を見定めるための標準的方法とされている．いわゆる「根拠にもとづく医療」(EBM) 運動の支持者にいたっては，RCT だけが治療法の因果的効果の有無を判定できるとさえ唱えている．しかし，さすがにこれは極論だろう（「証拠」という言葉を RCT の占有物のようにいうのも語弊がある）．実際的な理由にせよ，倫理的な理由にせよ，RCT という手法が使えない科学の分野は少なくない．だが，そこでも因果推論は絶えず行われているのだ．さらに言えば，日常生活で使われる因果関係の知識の多くは，RCT によらずに得られたものである．火のなかに手を入れれば焼けるような痛みが生じることは，小さな子どもでも知っている．それを知るのにランダム化試験は必要ない．RCT は間違いなく重要だし，実行できる場合にはすべきである．しかし，RCT が因果関係を突き止める唯一の方法だというのは正しくない.

確率と科学的推論

帰納的推論は結論の確実性を保証するものではない. そこで自然に浮かぶのが, 帰納的推論の仕組みを理解するのに確率概念が使えるのではないかというアイデアだ. 科学者が用いる証拠は仮説が真であることを証明しなくても, 仮説が真であることを蓋然的たらしめることならできるはずではないのか. しかし, このアイデアを検討する前に, 確率概念そのものについて簡単に触れておきたい.

確率には, 客観性の顔と主観性の顔のふたつがある. 確率が客観性の顔を見せるのは, ある事象がこの世界でどれくらいの頻度で起きているか――あるいは, 起きる傾向にあるか――を意味するときである. たとえば, イギリス人女性が90歳まで生きる確率は10分の1であると聞かされれば, イギリス人女性全体の10分の1がその歳まで生きるという意味に解釈されるだろう. 同様に,「このコインを投げて表が出る確率は2分の1である」という言明は, コイン投げを多数回繰り返せば, 表の出る割合は2分の1にきわめて近くなると解するのが自然である. そのように理解するかぎり, 確率の言明は客観的に真または偽のいずれかであり, 人がどう思うかには左右されない.

一方, 確率が主観性の顔を見せるのは, 信念の合理的度合いの測度となる場合である. とある科学者が,「火星に生物が見つかる確率は極端に低い」と述べたとしよう. これが意味するのは, すべての天体のうち, 生物が見つかるのはほんの一部でしかないということだろうか. もちろんそうではない. 第一に, 天体が全部でいくつあるかや,そのうちいくつの天体に生物がいるかなど，誰も知りはしない．つまり，ここでの確率概念は先ほどとは違うということだ．火星には生物がいるかいないかのどちらかなのだから，この文脈での確率は，世界の客観的な特徴を記述したものではなく，世界のあり方についてのわれわれの無知を反映したものと考えるべきだろう．したがって科学者のくだんの言明は，あらゆる証拠に照らしたときに，火星に生物が存在するという仮説に対する「信念の合理的度合い」はきわめて低いという意味に解するのが自然である．

「証拠をふまえての，科学の仮説に対する信念の合理的度合いは，確率の一種と見なすことができる」——この考え方は，科学的推論の実際のあり方を違和感なく表現している．いまある科学者が，仮説 H を検討しているとしよう．これまで得られた証拠に照らして，科学者は H をある一定の度合いだけ信じている．その度合いを $P(H)$ で表そう．これは 0 から 1 のあいだの値をとる．($P(H)$ を，科学者が H に寄せる「信用度（クリーデンス）」ともいう．) その後，実験や観察などを通じて新たな証拠が知られるようになる．この新証拠に照らして，科学者は H の信用度を $P_{new}(H)$ へと更新する．新証拠が理論を支持するものであれば，$P_{new}(H)$ は $P(H)$ よりも大きな値になる．言い換えれば，科学者は H が真であるという確信をさらに深めるのである．

簡単な例で具体的に説明しよう．トランプのカードをよく切って 1 枚引く．ただし，そのカードはあなたには見えないものとする．カードがハートのクイーンであるという仮説を H で表す．$P(H)$ の値，つまり H に寄せるあなたの最初の合理的信用度はいくらだろうか．おそらく 1/52 だろう．カードは一組 52 枚で，引く可能性はどれも等しいからだ．ここで，引いたカードがハートだと教わったとしよう．

この情報を e で表す．e に照らしたとき，$P_{new}(H)$ の値——新たな証拠をふまえて更新した，あなたが H に寄せる信用度——はいくらになるだろうか．$P_{new}(H)$ が 1/13 であることは明らかだろう．トランプ一組にはハートが 13 枚あって，自分から見えないカードはその中の 1 枚だとわかったのだから．つまり，e を知ることで，H への信用度は 1/52 から 1/13 に増えたわけだ．

ここまではごく当たり前の話である．だが，新しい証拠に照らして信用度を更新する一般則とは何だろうか．答えは「条件化」と呼ばれるものだ．この規則を把握するには条件つき確率の概念が必要である．トランプのカードの例では，$P(H)$ は仮説 H に対する初期信用度を意味した．H に対する初期信用度に e が真であるという条件が加われば，その値は $P(H/e)$ で表される．（「条件 e のもとでの H の確率」と読むべし．）$P(H/e)$ の値は何だろうか．答えは 1/13．e が真である，つまり引いたカードがハートであるという仮定のもとでは，仮説 H に対する信用度は 1/13 になるからだ．e が実際に真であるとわかれば，H に対する新たな信用度 $P_{new}(H)$ は，H に対する初期信用度に条件 e が加わった場合の値に等しいと見なさねばならない．これが条件化規則である．

条件化規則

> 証拠 e が知られれば，$P_{new}(H)$ は $P(H/e)$ と等しくならねばならない．

条件化規則をきちんと理解するために，条件つき確率 $P(H/e)$ が，

定義により $P(H \& e)/P(e)$ と等しいことに注意しよう．カードの例では，$P(H \& e)$ は，H と e がともに真であることに対する初期信用度を表している．ただしこの場合，H は e を論理的に含意するので――というのも，カードがハートのクイーンならば，当然それはハートなのだから――$P(H \& e)$ は $P(H)$ と等しい，つまり 1/52 である．では $P(e)$ はどうか．これは，引いたカードがハートであることに対する初期信用度を意味する．トランプ一組のうち 4 分の 1 はハートだし，どのカードも引く可能性は等しいと考えるのだから，$P(e)$ は 1/4 ということになる．$P(H/e)$ の定義より，

$$P(H/e) = \frac{1/52}{1/4}$$

つまりは 1/13 で，先ほど求めた答えと同じになるわけだ．

条件化規則は複雑そうに聞こえるかもしれない．だが多くの論理法則と同じで，とくに考えなくても，われわれはたびたびこの規則にしたがっている．カードの例では，e を知ることで，H に対する合理的信用度が 1/52 から 1/13 に増えることは直観的に明らかだろう．実際この場合，たいていの人が信用度を上げるはずだ．たとえこの規則について耳にしたことがなくても，暗黙のうちに条件化規則にしたがっているわけである．条件化規則は，こうした暗黙裡の使用だけでなく，科学者が意識して使う場合も少なくない．たとえば，ある種の統計的推論がそうだ．ベイズ統計として知られる統計学の分野では，条件化による更新が広く用いられている[★6]（ベイズとは，18 世紀イギリスの牧師で，確率論の初期の開拓者でもあるトマス・ベイズのことだ．条件化規則を発見したのも彼である）．

科学哲学者のなかには，確率論的推論とは明確に呼べない場合も含

めて，条件化による更新を科学的推論の一般モデルとして利用しようとする者もいる．彼らによれば，合理的な科学者は自分の理論や仮説を信用することから出発し，新たな証拠が手に入ると，条件化規則にしたがって信用度を更新する．科学者の意識にある実際の推論プロセスがたとえこれとは似ても似つかないものであったとしても，理念的表現としてこのモデルが有用だと考えるのである．

科学的推論についてのこうした「ベイズ的」見解にはかなりの魅力がある．科学的方法のある種の側面に光を投じているからだ．科学理論からテスト可能な予測が導かれ，その予測が正しいとわかれば，理論を支持する証拠が得られたとふつうは見なされることを思い出そう．第1章では，恒星からの光が太陽の重力場によって曲げられることを予測したアインシュタインの一般相対性理論を例に挙げた．この予測が確証されると，アインシュタインの理論に寄せる科学者たちの信頼は高まった．けれども，予測の成功がなぜ理論への信頼につながるのだろうか．ほかにも説明する道はつねに残されているというのに．たんに，科学者の推論とはそういうものだという話なのだろうか．それとも，そこにはもっと深い理由があるのだろうか．

たしかにそこには深い理由がある，とベイジアンは言う．理論 T がテスト可能な言明 e を含意するとしよう．科学者ははじめ，T が真であること，e が真であることを，それぞれ $P(T)$ と $P(e)$ という信用度で信じている．$P(T)$ も $P(e)$ も，ゼロや1の極値はとらないと仮定する．次に科学者が，e が間違いなく真であると知ったとしよう．条件化規則にしたがうなら，論理的に言って，T に対する新たな信用度 $P_{new}(T)$ は $P(T)$ より大きくなるはずである．言い換えれば，自分の理論から正しい予測が導かれたことがわかれば，条件化規則にしたがうかぎり，科学者は自説への信頼をかならず深めることになる．かくして，科学的推論についてのベイズ的観点からは，予測の成功によって科学者が自分の理論への信頼を深めるという事実がきれいに説明されるわけだ．

とはいえ，ベイズ的観点には限界もある．科学的推論として面白みのあるものは，それまで誰も想像しなかったような理論や仮説の案出が絡むケースが少なくない．コペルニクスやニュートン，ダーウィンによる偉大な科学の進歩はどれもそういった類のものだ．彼らが考え出した新しい理論は，まったく前例のないものだった．そうした理論を導く推論をベイズ的なものと見ることにはどうしても無理がある．条件化が問題にしているのは，新証拠を前にしたとき，科学者の自説への合理的信用度はどう変わるべきかということであり，理論がすでに立てられていることが前提されているからだ．データからまったく新しい理論へと進む科学的推論は，条件化によっては理解できないのである．

ベイズ的観点のもうひとつの限界は，新証拠による更新以前の，初期信用度の根拠にかかわる．トランプの例では，引いたカードがハートのクイーンであることの合理的な初期信用度は簡単に求めることができた．一組 52 枚のカードがあって，選ばれる可能性はどれも等しいからである．しかし，科学の仮説の多くはそうはいかない．2100 年までに地球の平均気温の上昇幅は 4 度を上回るという仮説について考えてみよう．しかるべき証拠がない段階で，科学者はこの仮説にどれだけの初期信用度を認めるべきだろうか．そこにはっきりした答えはない．ベイズ派の科学哲学者には，次のように答える者もいる．初期信用度は純粋に主観的なものにすぎない．つまりそれは，科学者がさしあたりできる「精一杯の当て推量」でしかない．したがって初期信用度は何でもかまわない，と．この種のベイズ的観点によれば，科学者が新証拠を手にしたとき，理論に対する信用度を変える客観的に合理的な方法――つまりは条件化――ならばあるが，初期信用度についてはいかなる客観的制約も存在しないというのである．

主観的な要素が入り込んでくることに，多くの哲学者は顔をしかめた．そして，科学的推論はベイジアンの見方では捉えきれないと結論した．それはまた，ヒュームの帰納法の問題にベイズ的「解決」がありえないことも示している．確率概念を使ってヒュームの問題を回避するアイデアは昔からあった．「これまで太陽が毎日昇ったからといって，明日太陽が昇ることの証明にはならないかもしれない．だが，明日太陽が昇ることは蓋然的だとは言えるのではないか．」ヒュームへのこの応答が最終的に有効かどうかは，たしかに厄介な問題である．しかし，次のことは言える．客観的な制約を被るのは信用度の変え方だけであり，初期信用度をどう値踏みするかは主観的判断にすべて委ねられるべきだとするなら，この世界について奇妙きわまりない意見の持ち主であっても，完璧に合理的な存在と見なされることになってしまう．ベイズ的視点から科学的推論をとらえる者が，蓋然性に訴えてヒュームの問題を回避しようとしても，それはうまくいかないのだ．

3　科学における説明

科学の大切な目的のひとつに，われわれの周りで起きていることの説明がある．ときには，直面する問題に対処するために説明が求められることがある．たとえば，オゾン層の急速な減少に対して策を講じたいので，原因が知りたいという場合がそうだ．しかし，たんに知的好奇心を満たすために説明が求められることもある．世界の仕組みをもっと知りたいというケースである．いずれの目的も科学的説明を追い求める動機として働いてきたことは，歴史の示すとおりだ．

説明を与えるという点では，現代科学は大きな成功をおさめてきたと言っていい．たとえば化学者は，ナトリウムを燃やすと黄色の炎が生じる理由を説明できる．天文学者は，日食の起きる理由を説明できる．経済学者は 1980 年代の円安の理由を説明できる．遺伝学者は，男性の禿に遺伝傾向がある理由を説明できる．神経生理学者は，極端な酸素欠乏が脳にダメージを与える理由を説明できる．科学的説明の成功例はほかにもたくさん思い浮かぶだろう．

しかし，科学的説明とはそもそも何なのだろうか．ある現象が科学によって「説明」されたと言われるとき，それはいったい何を意味しているのだろうか．アリストテレス以来この問題は哲学者を悩ませ続けてきたが，ここではある有名な分析を糸口に考えてみたい．1950

年代にドイツ系アメリカ人哲学者のカール・ヘンペルが提案した分析で,「説明の被覆法則モデル」と呼ばれるものだ. 名前の由来はすぐに明らかになる.

ヘンペルによる説明の被覆法則モデル

被覆法則モデルの背景にある基本的なアイデアは単純である. 科学的説明は, ふつう,「説明を要求するなぜ型問題」に答えるかたちで提示されるとヘンペルは指摘する.「なぜ地球は完全な球形ではないのか?」,「なぜ女性は男性より長生きなのか?」といった問題が, 説明を要求するなぜ型問題だ. 科学的に説明するとは, こうしたなぜ型問題に十分な答えを与えることである. したがって, そうした答えがもつべき本質的特徴を明らかにできれば, 科学的説明とは何かを理解したことになるのではないか. これがヘンペルのアイデアだった.

一般に, 科学的説明は論証の論理構造をもっているとヘンペルは指摘する. 前提の集合のあとに結論が来るという構造である. 結論では説明を要する現象が起きる旨が述べられ, 前提ではその結論がなぜ真なのかが述べられる. たとえば, 砂糖が水に溶けるのはなぜかと誰かが尋ねたとしよう. これは説明を要求するなぜ型問題である. ヘンペルによれば, それに答えるには,「砂糖は水に溶ける」を結論とし, なぜその結論が真かを述べる文を前提とする論証を構成しなければならない. だとすると,「科学的説明」とは何かを説明することは, 前提の集合が結論の説明と見なせるために必要な, 両者の関係を正確に特徴づける作業ということになる. ヘンペルが取り組んだのはこの課題だった.

その答えとして，ヘンペルは次の条件を挙げた．第一に，前提が結論を含意すること．つまり論証が演繹的であること．第二に，前提がすべて真であること．第三に，前提には一般法則が少なくともひとつ含まれていること．一般法則とは，「すべての金属は電気を通す」，「物体の加速度は質量に反比例する」，「植物はみな葉緑素を含んでいる」といったものをいう．これらは，「この金属片は電気を通す」，「私の机の上にある植物は葉緑素を含んでいる」といった個別的事実と際立った対照をなしている．一般法則は，しばしば「自然法則」とも呼ばれる．科学的説明が一般法則だけでなく個別的事実の助けを借りてなされる場合もあるが，少なくともひとつの一般法則には必ず訴えなければならない，とヘンペルは考えた．つまり彼によれば，ある現象を説明するとは，その生起が一般法則から演繹的に導かれることを示すことなのだ．場合によっては一般法則はひとつではなく，ほかの法則や個別的事実もそこに付け加わるが，ともかくそれらは真でなくてはならない．

例を挙げよう．いま私は，自分の机の上の植物が枯れたのはなぜかを説明しようとしている．その場合，次のような説明が考えられるだろう．書斎の採光が十分ではなかったため，日光が植物まで届かなかった．日光は植物の光合成に欠かせない．さらに，光合成ができなければ，植物は生存に必要な炭水化物を作れず，枯れてしまう．したがって，私の植物は枯れた．さて，この説明はヘンペルのモデルと正確に合致している．植物が枯れたことを，ふたつの真なる法則——日光は光合成に必要であり，光合成は生存に必要である——と，ひとつの個別的事実——その植物には日光が届かなかった——から演繹することで説明しているからだ．このふたつの法則とひとつの個別的事実が真である以上，植物が枯れるという出来事は起こるよりほかない．だからこそ，前者は後者のすぐれた説明になっているというわけである．
ヘンペルの説明モデルは，次のような図式で表現できる．

一般法則
個別的事実
⇓
説明すべき現象

説明すべき現象を「被説明項」といい，説明の役をはたす一般法則や個別的事実を「説明項」という．被説明項は，個別的な内容のこともあれば一般的なものもある．先ほどの例では，書斎の植物が枯れたという個別的事実が被説明項だった．しかし，説明したいと思う対象が一般的なことがらの場合もある．たとえば，日光を浴びるとしばしば皮膚がんになるのはなぜかを説明したい場合がそうだ．これは一般的なことがらであり，個別的事実ではない．それを説明するには，より基本的な法則——おそらくは皮膚細胞への紫外線の影響に関する法則——と，日光に含まれる紫外線量に関する個別的事実との組み合わせから，その一般法則を演繹する必要があるだろう．したがって，科学的説明の構造は，説明しようとしている被説明項が個別的か一般的かにかかわらず，基本的に同じものとなる．
被覆法則モデル(covering law model)という名前の由来は容易に見当がつく．このモデルによれば，説明すべき現象に対して，何らかの一般的な自然法則が「当てはまる」ことを示すのが説明にほかならないからだ．このアイデアには，たしかに魅力的なところがある．現象が一般法則からの帰結であることを示せれば，その神秘性は消え去り，より理解しやすいものとなるからである．実際，科学的説明がヘンペルの描くパターンと一致する例も多い．たとえばニュートンは，万有引力の法則といくつかの小さな付加的前提から楕円軌道が演繹できることを示し，それによって惑星が太陽の周りを楕円軌道を描いて回っている理由を説明した．ニュートンの説明はヘンペルのモデルにぴたりと合致する．自然法則と付加的事実が成り立つ以上，当の現象は起こるよりほかなかったものであることを示し，そうすることで，その現象を説明しているからである．ニュートン以後，惑星軌道がなぜ楕円かは，もはや謎ではなくなった．

ヘンペルは，すべての科学的説明が自分のモデルと寸分たがわず一致するとはかぎらないことに気づいていた．たとえば，近年のアテネでスモッグが酷さを増している理由を誰かに尋ねれば，「家庭で木材を燃やしているからね」という答えが返ってくるかもしれない．事実はそのとおりであって，これは科学的説明として完璧に受け入れることのできるものだが，法則への言及は見あたらない．しかし，細部を省略せずに説明を述べれば法則への言及が浮かび上がる，とヘンペルならば言うだろう．いわく，「燃焼で排出される煙が一定面積あたりであるレベルの濃度を超えて，風が十分弱いと，スモッグの雲が生成する」といった趣旨の法則が，おそらくそこには見つかるはずだ．アテネのスモッグが悪化した理由の完全な説明には，この法則と，アテネ市内で燃やされる木材が増えたという事実，この土地ではかなり弱い風が吹くという事実が動員されるだろう．実際には，学者ぶって知識をひけらかすのでもないかぎり，そこまで詳しい説明がなされることはない．けれども，もし省略せずに説明するなら，それは被覆法則のパターンときわめてよく合致するにちがいない——.

ヘンペルは，自身の説明モデルから，説明と予測の関係について興味深い帰結を導き出した．ふたつは同じコインの表と裏だというのである．彼の説はこうだ．被覆法則によって現象が説明できる場合には，事前にその現象が起こると知らなかったとしても，説明に用いた法則と個別的事実がわかっていれば，その予測はつねに可能だっただろう．例として，惑星の楕円軌道に関するニュートンの説明についてもう一度考えてみよう．惑星が楕円軌道を描くという事実は，ニュートンが万有引力の理論で説明するよりもずっと以前から知られていた．ケプラーがすでに発見していたからだ．しかし，かりにその事実が知られていなかったとしても，ニュートンは自分の万有引力の理論でそれを予測できただろう．ヘンペルはこの点を，「科学的説明はどれも予測に転じうる」という言い方で表現している．たとえ問題の現象がまだ知られていなかったとしても，その説明があれば，予測は可能だっただろうというのである．また，その逆も成り立つとヘンペルは考えた．信頼できる予測はみな，説明に転じうるというわけだ．たとえば，生息地の破壊が進んでいるという情報にもとづいて，マウンテン・ゴリラは2030年までに絶滅するという予測を科学者が立てたとしよう．その後，予測が正しいことが判明したとする．ヘンペルによれば，ゴリラの絶滅前にそれを予測するのに用いた情報は，絶滅後にその事実を説明するのにも使うことができる．説明と予測は，対称的な構造をしていると考えたのである．

被覆法則モデルは実際に行われている多くの科学的説明の構造を見事にとらえているが，扱いの難しい反例はいくつもある．具体的にいえば，被覆法則モデルには合致しても，本物の科学的説明とは直観的に思えない場合があるのだ．ヘンペルのモデルが緩すぎて，除外すべきものを許容してしまうケースである．ここではふたつの例を見てみよう．

ケースI　対称性の問題

ある晴れた日に，．ビーチで寝そべっているとしよう．旗ざおが砂の上に20メートルの長さの影を落としている(図4)．すると誰かが，なぜ影は20メートルの長さなのかと尋ねてきた．これは説明を要求するなぜ型問題である．さてこの場合，こんなふうに説明しておけば，うまく答えたといえるかもしれない．「太陽からの光線が旗ざおにあたっている．旗ざおはちょうど15メートルの高さである．また，太陽の仰角は37度である．光は直進するので，簡単な三角法の計算によって(tan 37°≒15/20)，旗ざおの影が20メートルの長さになることがわかる」

科学的説明として，これは申し分なさそうに見える．また，ヘンペルの図式にならって書き換えれば，この説明は被覆法則モデルとも合致する．

一般法則	光は直進する
	三角法の法則
個別的事実	太陽の仰角は37度である
	旗ざおの高さは15メートルである
説明すべき現象	影の長さは20メートルである

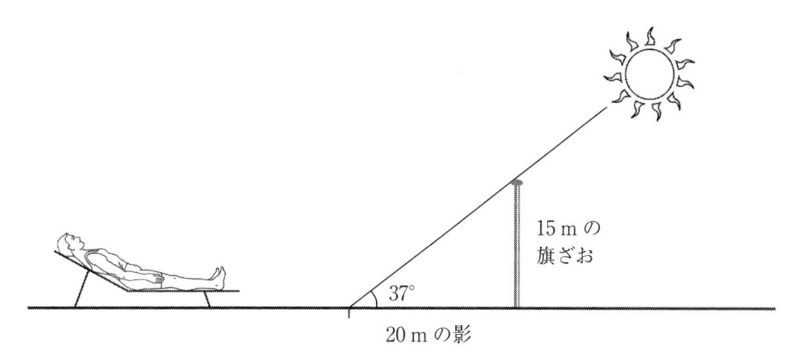

図4　太陽が37度の高さにあるとき，15 mの旗ざおは20 mの影を投じる．

影の長さは，旗ざおの高さと太陽の仰角，光は直進するという光学法則と三角法の法則から演繹される．これらの法則は真であり，旗ざおはたしかに15メートルの高さなので，この説明はヘンペルの要求をきちんと満たしている．ここまではいい．問題は次の点だ．被説明項，すなわち影の長さが20メートルであることと，旗ざおが15メートルの高さであるという個別的事実とを入れ替えるとしよう．すると以下のようになる．

一般法則	光は直進する
	三角法の法則
個別的事実	太陽の仰角は37度である
	影の長さは20メートルである
説明すべき現象	旗ざおの高さは15メートルである

この「説明」も，明らかに被覆法則モデルのパターンにしたがってい

る．旗ざおの高さは，さおの影の長さと太陽の仰角，光は直進するという光学法則と三角法の法則から演繹されるからだ．しかし，これを旗ざおの長さが15メートルである理由の説明と見なすのは，ひどく奇妙に思われる．旗ざおの高さが15メートルである理由の本当の説明は，おそらく，大工さんがそういう長さになるように作ったというものだろう．さおが落とす影の長さとは何の関係もない．つまり，ヘンペルのモデルは緩すぎるのである．明らかに科学的説明とは呼べないものまで，科学的説明のうちに含めてしまっているのだ．

旗ざおの例から汲むべき一般的教訓は，説明概念には見落とすことのできない非対称性があるという点である．しかるべき法則と事実が与えられれば，旗ざおの高さは影の長さを説明してくれる．けれども逆は成り立たない．一般に，しかるべき法則と事実を前提したときに x が y を説明しても，同じ法則と事実を前提したときに y が x を説明することはない．このことはしばしば，「説明は非対称的関係である」という言い方で表現される．ヘンペルの被覆法則モデルでは，この非対称性への配慮がなされていない．しかるべき法則と事実を前提にしたとき，旗ざおの高さから影の長さが演繹できるように，影の長さから旗ざおの高さも演繹できるからである．つまりヘンペルのモデルは，科学的説明というものを捉えきれていないのだ．彼のモデルにしたがうかぎり，説明は対称的であるはずだが，実際には非対称的なものだからである．

影と旗ざおのケースは，説明と予測がコインの表と裏であるというヘンペルのテーゼへの反例にもなっている．理由は明らかだろう．かりに，自分が旗ざおの高さを知らないとしよう．旗ざおの落とす影の長さは20メートルで，太陽の仰角は37度だと教われば，光学と三角法の法則に関するしかるべき知識を前提にして旗ざおの高さを予測することができる．しかし先ほど見たように，旗ざおがそうした高さをもっている理由を，教わった情報で説明できていないのは明白である．この例では，予測と説明が袂を分かっている．事実を知る前にそれを予測するのに役立った情報が，事実を知ったあとでそれを説明するのには役立たないのだ．これはヘンペルのテーゼに反する事態である．

ケースII　関連性欠如の問題

ある病院の産科病棟に，一人の小さな子どもがいる．その子は，部屋のなかのある人物――ジョンという名の男――が妊娠していないことに気づき，「なぜしてないの？」と医師に尋ねる．医師の答えはこうだ．「ジョンはこの数年のあいだ，ずっと経口避妊薬を欠かさず飲んでいるからだよ．経口避妊薬を欠かさず飲んでいる人はけっして妊娠しない．だからジョンは妊娠しなかったんだ．」医師の言葉が正しいとしよう．すなわち，ジョンは心を病んでいるため，実際に経口避妊薬を飲んでおり，薬が効いていると信じているものとする．ところが，たとえそうだったとしても，医師の答えが意味をなさないのは明らかだろう．ジョンが妊娠しなかった理由の正しい説明とはもちろん，彼が男であり，男は妊娠できないというものだからである．

しかし，その説明は被覆法則モデルと見事に合致する．医師は，説明すべき現象(ジョンが妊娠していないこと)を，経口避妊薬を飲んでいる人は妊娠しないという一般法則と，ジョンはずっと経口避妊薬を飲んでいたという個別的事実から演繹している．この一般法則も個別的事実も真であり，またそれらはたしかに被説明項を含意するので，被覆法則モデルによれば，医師はジョンが妊娠していない理由を完璧に過不足なく説明したことになる．だが実際には，それが説明になっていないことは言うまでもない．

ここから得られる一般的教訓とは，現象のすぐれた説明には，その現象の生起と関連性のある情報が含まれていなければならないというものである．医師の答えがおかしいのも，この点にほかならない．医師が子どもに話したことは文句なしに正しいのだが，ジョンが経口避妊薬を常用していたという事実は，彼が妊娠していないことと何ら関連性がない．たとえ薬を飲んでいなかったとしても，ジョンは妊娠しなかっただろうからだ．子どもの質問に対して医師の返事がまともな答えになっていないのも，それが理由である．ヘンペルのモデルでは，説明概念のもつこの決定的に重要な特徴が見落とされている．

説明と因果性

被覆法則モデルがいろいろと問題に行きあたる以上，科学的説明をべつのやり方で理解しようと思うのは当然だろう．一部の哲学者は，因果性概念が鍵ではないかと考えている．これはなかなか魅力的なアイデアだ．多くの場合，現象を説明することは，何がそれを引き起こしたかを述べることだからである．たとえば，事故調査員が飛行機の墜落理由を説明しようとするとき，彼らが墜落の原因を探していることは明らかだろう．実際，「なぜ飛行機は墜落したのか？」という問いと「飛行機の墜落原因は何か？」という問いは，ほとんど意味に違いがない．同様に，生態学者が熱帯雨林の生物多様性が失われた理由を説明しようとするとき，生物多様性が減少した原因を探していることは明らかである．説明概念と因果性概念とのつながりは，きわめて密接と言うほかない．

このつながりの認識が動機になって，多くの哲学者が説明の被覆法則モデルを棄て，因果性にもとづく説明を採用してきた．細かな違いは見られるものの，因果性にもとづく説明の背景には，現象を説明することは要するに何がそれを引き起こしたかを述べることだという基本的なアイデアがある．場合によっては，一般法則から現象の生起を演繹することが原因を挙げることと重なってしまうため，被覆法則による説明と因果性による説明との違いがさほど大きくないケースもある．例として，あらためてニュートンによる惑星の楕円軌道の説明を思い起こそう．すでに見たように，この説明は被覆法則モデルと合致する．惑星軌道の形を万有引力の法則とそのほかの事実から演繹しているからだ．しかし，ニュートンの説明は因果性にもとづくものでもある．惑星が楕円軌道を描くのは，惑星と太陽のあいだに働く万有引力が原因だからである．

とはいえ，被覆法則による説明と因果性による説明は，完全に同等というわけではない．場合によっては，両者に食い違いが見られる．もっと言えば，多くの哲学者が因果性による説明の分析を好むのは，被覆法則モデルの直面する問題が部分的に回避できるからなのだ．旗ざおの問題を思い出そう．法則を前提したとき，旗ざおの高さは影の長さを説明してくれるが，その逆は成り立たないとわれわれは直観的に判断した．しかし，なぜそう判断したのだろうか．それは，旗ざおの高さは影の長さが 20 メートルであることの原因だが，影の長さが 20 メートルであることは旗ざおの高さが 15 メートルであることの原因ではないという，当然の思慮があったからだろう．だからこそ，被覆法則モデルとは違って，因果性による説明概念の分析は旗ざおの例に関して「正しい」答えを与えてくれるのだ．影の長さによって旗ざおの高さを説明することはできないという直観を，それはきちんと尊重しているのである．

旗ざお問題から得られた一般的教訓は，説明が非対称な関係であるという事実に被覆法則モデルが合致しないということだった．ところで，因果性もまた明らかに非対称的な関係である．xがyの原因ならば，yはxの原因ではない．たとえば，漏電で火事が起こったならば，火事が漏電を引き起こしたのでないことは明らかである．したがって，説明の非対称性が因果性の非対称性に由来していると考えるのは自然なことだろう．もし現象を説明することがその原因を述べることだとすれば，因果性が非対称的である以上，当然その説明も非対称的になると考えられる．実際，説明とはそういうものだ．被覆法則モデルが旗ざお問題でつまずいたのは，科学的説明の概念を，因果性を考慮せずに分析しようとしたからなのである．

同じことが経口避妊薬のケースにも当てはまる．「ジョンは経口避妊薬を常用している」と述べたところで，彼が妊娠していない理由を説明したことにはならない．彼が妊娠していないのは，経口避妊薬が原因ではないからだ．その原因はジョンの性別にあった．「なぜジョンは妊娠していないの？」という質問に対して，医師の答えではなく，「彼は男性で，男性は妊娠できないからなんだ」という答えが正しいとされるのもそのためだ．被覆法則モデルは，説明の対象である現象の原因を特定することを科学的説明にはっきりとは求めていない．だからこそ被覆法則モデルは，関連性の欠如という問題でつまずいてしまうのである．

因果性と説明との密接なつながりを顧慮しなかった点をとらえてヘンペルを批判するのはたやすい．実際，多くの哲学者がそうしてきた．しかし，ある意味で，この批判は少し公平を欠いている．ヘンペルは哲学上の立場としていわゆる経験主義を奉じていたが，因果性をいかがわしい概念と見なすのは経験主義者の伝統だからである．経験主義によれば，われわれの知識はすべて経験に由来する．前章に登場したデイヴィッド・ヒュームは経験主義の中心人物の一人だが，彼は，因果関係を経験することはできないと主張した．そしてそこから，因果関係など存在しないという結論を導き出したのである．因果性とは，人間が世界の側に「投影」した何ものかにほかならないと！　これはきわめて受け入れがたい結論である．ガラスの花瓶の落下によって花瓶が割れるという事態が引き起こされるのは，客観的事実のはずではないのか．ところがヒュームは，そうではないと主張する．いわく，床に落としたガラスの花瓶のほとんどが実際に割れたのは客観的な事実である．だが，因果性の観念には，それ以上の内容が含まれている．花瓶の落下と割れることとのあいだの因果的なつながりの観念，つまり前者が後者を引き起こすという観念である．しかし，この世界のどこを探しても，そのようなつながりなど見つかりはしない．われわれが目にするのは，花瓶が下に落とされたことと，そのすぐあとに花瓶が割れたことだけである．そこからわれわれは，ふたつのあいだに因果的なつながりがあると思い込むわけだが，実際にはそんなものなどありはしないのだ——．

この驚くべき結論を即座に受け入れた経験主義者はほとんどいなかった．しかし，ヒュームの著作のおかげで，彼らのなかに因果性を注意して扱うべき概念と見なす傾向が生まれた．経験主義者には，説明概念を因果性の概念で分析するなど，筋違いもはなはだしいと感じられるだろう．ヘンペルのように科学的説明という概念を解明したいと思うのなら，同じように解明の必要な概念に頼ってもほとんど意味はない．したがって，被覆法則モデルに因果性への言及が見られないからといって，ヘンペルが不注意だったことにはならない．近年，経験主義の人気はいささか衰え気味である．しかも，多くの哲学者が，因果性は問題のある概念だが，世界を理解するうえでなくてはならないと結論するに至っている．科学的説明を因果性にもとづいて分析しようというアイデアは，現在，ヘンペルが活躍した当時よりも受け入れられやすくなっていると言えるだろう．

因果性にもとづく分析は，実際の科学的説明の多くがもつ構造をかなりうまく捉えている．ただし，素直にそう言えないケースもあるのは事実だ．科学におけるいわゆる理論的同定について考えてみよう．「水は H_2O である」や「温度は分子の平均運動エネルギーである」といった言明が理論的同定である．いずれも，見慣れた日常的概念が，より難解な科学的概念と等しい，あるいは同一であると述べている．こうした理論的同定もまた，科学的説明を提供しているように思われる．水が H_2O であることを化学者が発見したとき，彼らはこれによって水とは何かを説明した．同様に，物体の温度がそれを構成する分子の平均運動エネルギーであることを物理学者が発見したとき，彼らはこれによって温度とは何かを説明した．しかし，どちらの説明も因果性概念にはもとづいていない．H_2O という組成をもつことは，物質が水になるという事態を引き起こすわけではない．たんにその物質が水だということでしかない．分子がある特定の平均運動エネルギーをもつことは，液体がその温度をもつという事態を引き起こすわけではない．たんにその液体がそういう温度だということでしかない．もしこれらの例が正当な科学的説明として受け入れられるのなら，因果性概念を軸にして「説明」を分析するだけでは不十分ということになりそうだ．

科学ですべてが説明できるのか

現代科学は，われわれの住むこの世界について多くのことを説明してくれる．しかし，科学で説明されていない事実や，少なくとも十分には説明されていない事実もたくさんある．生命の起源もそのひとつだ．およそ40億年前，自己複製能力をもった分子が原始スープのなかに現れ，そこから生命が進化した．しかし，そもそもこの自己複製分子がどうやって現れたのかはわかっていない(いくつか大まかなシナリオは描かれているけれども)．もうひとつ例を挙げよう．アスペルガー症候群の子どもたちは，しばしばきわめてすぐれた記憶力をもっている．この事実はいくつもの研究で確認されているが，いまのところその理由を説明できた人はいない．

ゆくゆくはこうした事実も科学で説明できるだろう，と多くの人が思っている．これはもっともな意見だろう．生命の起源の問題には分子生物学者が懸命に取り組んでいるところだし，それでも解決は無理だという人は，ペシミストくらいのものである．たしかにこれはやさしい問題ではない．なにしろ，40億年前の地球がどのような姿だったかを知るのは容易ではないからだ．それでも，生命の起源はけっして説明できないと考えるべき理由はない．アスペルガーの子どもたちの並はずれた記憶力についても同じである．記憶の科学はまだ緒についたばかりだし，アスペルガー症候群などの神経学的基礎についてもまだわからないことが多い．「いつかは説明が見つかるだろう」と請け合うわけにいかないのはもちろんである．だが，現代科学がどれだけたくさんの説明を成し遂げてきたかを思えば，いまはまだ説明のつかない事実の多くも，いずれ説明されると考えるべきだろう．

しかしこれは，原理上すべてが科学で説明できることを意味するのだろうか．それとも，科学的にはどうしても説明できない現象があるのだろうか．これは容易には答えられない問題である．たしかに，科学は何でも説明できると主張するのは傲慢というものだろう．しかしその一方で，何か特定の現象を取りあげて，「これは科学ではけっして説明できない」と言い切るのも，短絡的なように思われる．科学は急速に変化し発展しており，現在の科学の視点からは解明の糸口すらなさそうに見える現象も，明日になれば容易に説明がつくかもしれないからだ．

純枠に論理的な理由から，科学ですべての説明がつくわけではないという哲学者も少なくない．何であれ，ものごとを説明するには，べつの何かに訴えなければならない．しかし，その「べつの何か」は何によって説明されるのだろうか．たとえば，万有引力の法則でニュートンがさまざまな現象を説明したことを思い起こそう．では，万有引力の法則自体は何によって説明されるのだろうか．「なぜすべての物体はお互いどうし重力を及ぼし合うのか」と尋ねられたら，どう答えたらいいのだろうか．ニュートンは，この問題に対する答えをもっていなかった．ニュートンの科学にとって，万有引力の法則は基本原理であり，ほかの事物を説明はしても，原理自体は説明のつかないものだったのである．ここから得られる教訓は次のように一般化できるだろう．「将来の科学がどれだけたくさんのことを説明できたとしても，科学の説明は何らかの基本法則や原理を用いざるをえない．何ものもそれ自身を説明することはできない以上，そうした法則や原理の少なくとも一部は，説明されないまま残ることになる」

この論法をどう受け止めるにしろ，きわめて抽象的な議論であることは否めない．説明できないものがあることを示しているとは言われるものの，何が説明できないかまでは述べていないからだ．しかし，科学ではどうしても説明がつかないと思われる現象を具体的に挙げてみせる哲学者もいる．たとえば意識がそうだ．意識は，人間や高等動物のような，考え感じる生物ならではの特徴である．神経科学者や心理学者などの手によって脳の性質に関する膨大な研究がこれまでなされてきたし，現在も続けられている．しかし，最近の哲学者には，こうした研究によって何が明らかになろうと，意識とは何かが完全に説明されることはないと主張する者が少なくない．意識という現象にはどこか神秘的な面がもともと具わっており，どれほど科学研究が進んだところで，その神秘性を拭い去ることはできないというのである．

こうした見方には，どんな根拠があるのだろうか．意識経験には「主観的側面」があり，まさしくその点でこの世界のほかのいかなるものとも根本的に異なる，というのが彼らの基本的な論拠である．たとえば，恐ろしいホラー映画を見るという経験について考えてみよう．これは特異な「感じ」のする経験である．哲学の世界の流行り言葉でいえば，この経験には「独特の感じ」がともなう[★7]．恐怖感を生み出す脳内の複雑な過程について，神経科学者が詳しく説明できる日がいつかは来るかもしれない．しかし，ホラー映画を見ると，なぜあのよう

な感じ——ほかでもないあの感じ——がするのか，それで説明される
だろうか．一部の哲学者は否という．この見方によれば，脳に関する
科学的研究からわかるのは，せいぜいどの脳過程がどの意識経験と相
関関係にあるかまででしかない．たしかにそれは興味深い価値のある
情報だろう．だが，脳の純粋に物理的な出来事から，なぜ独特の主観
的な「感じ」の体験が生じるのかまでは教えてくれない．したがって，
意識は（少なくともその重要な一面は）科学によっては解明できない——．

この議論にはなかなか説得力があるが，異論も多い．神経科学者は
もちろん，哲学者もみながみな支持しているわけではない．哲学者の
ダニエル・デネットが1991年に出版した有名な本には，『意識は説
明される』という挑戦的なタイトルがつけられているほどだ[★8]．意識は
科学的に解明できないという見解の支持者は，想像力が欠けていると
たびたび非難される．現在の脳科学は意識経験の主観的側面を説明で
きないという見方がたとえ正しいとしても，べつのタイプの脳科学が
生まれる可能性は想像できないだろうか．われわれの経験にこうした
感じがともなう理由を説明してくれる，従来とは違う説明のテクニッ
クを具えた脳科学の可能性だ．哲学者には，何が可能で何が不可能か
を科学者に教えてやろうとする伝統が昔からあった．しかし，科学の
発展によって哲学者の誤りが判明した例は少なくない．「意識は科学
で説明できないはずだ」という人びとを待ち受けるのがこれと同じ運
命かどうかは，時が来れば明らかになるだろう．

説明と還元

種々のタイプの現象を説明するために，さまざまな科学の専門分野

が生み出されている．ゴムが電気を通さない理由を説明するのは物理学の役目であり，カメがこんなにも長寿なのはなぜかを説明するのは生物学の役目であり，高い金利でインフレが抑制されるのはなぜかを説明するのは経済学の役目であるというように．要するに，さまざまな科学のあいだに分業が成り立っており，それぞれの科学は，各分野に特有の現象群を説明することだけに特化しているのである．ふつう科学どうしが競合しない理由もそこにある．生物学者が，物理学者や経済学者に縄張りを荒らされる心配をしないのもそのためだ．

にもかかわらず，科学の各分野がみな対等というわけではないと見るのが一般的である．ほかよりも基本的な科学があると考えるわけだ．一般に，物理学はもっとも基本的な科学とされている．そのほかの科学の研究対象は，究極的には物質粒子によって構成されているからである．たとえば生物について考えてみよう．生物は細胞から形づくられており，細胞は水と核酸とタンパク質と糖質と脂質からできている．さらに，これらはみな分子や分子の長鎖から成っている．しかし，分子は物理的粒子である原子からできている．したがって，生物学者の研究対象は，突き詰めていえば，きわめて複雑な物理的対象なのである．同じことはほかの科学にもいえる．社会科学ですら例外ではない．たとえば経済学を見てみよう．経済学が研究するのは，市場における企業や消費者の振る舞いと，そこからもたらされる帰結である．ところで消費者は人間であり，企業は人間から成っている．人間は生物であり，つまりは物理的存在である．

このことは，原理上，物理学がそれより高次のあらゆる科学を包摂しうることを意味するのだろうか．すべては物理的粒子から形づくられているのだから，完全な物理学といったものが手に入って，宇宙のあらゆる物理的粒子の振る舞いを完璧に予測できるならば，それ以外の科学は無用ということになるのではないか．しかし，たいていの哲学者はこうした考えを認めない．「生物学や経済学によって説明されることを物理学が説明できるようになる日が，いつか来るかもしれない」などと考えるのは，正気の沙汰とは思えないからだ．生物学や経済学の法則を物理学の法則から直接導き出せる見込みは，まずないと言っていいだろう．未来の物理学がどのようなものになろうと，それが景気の下降を予測するなどありえない．生物学や経済学といった科学は，物理学に還元可能などころか，物理学からほぼ自立しているのである．

ここから哲学の難問が浮かびあがる．究極的には物理的存在にすぎない対象を研究する科学が，どうして物理学に還元できないのだろうか．かりに高次の科学が物理学から自立しているとして，いったいそれはどうして可能なのだろうか．一部の哲学者によれば，その答えは，高次の科学の研究対象が物理的レベルで「多型実現」されているという事実に求めることができる．多型実現のアイデアを理解するために，例として灰皿の集合を想像してみよう．一つひとつの灰皿は，この宇宙にあるほかのすべてのものと同じく，明らかに物理的存在である．しかし，灰皿の物理的組成はさまざまでありうる．ガラス製のものもあれば，アルミニウム製のものも，プラスチック製のものもあるというように．それらはサイズも形も重さもいろいろだろう．灰皿のもちうる物理的性質の多様性には，ほとんどかぎりがない．したがって，「灰皿」という概念を純粋に物理学の用語だけで定義することは不可能である．「xが灰皿であるのは，xが……のとき，かつそのときのみである」という形の，空所が物理学の言語に属する表現で埋められるような真なる言明など，けっして見つかりはしない．これは物理的レベルで灰皿が多型実現されていることを意味する．以上が多型実現のアイデアである．

哲学者はしばしばこのアイデアを持ち出して，なぜ心理学が物理学や化学に還元できないのかを説明してきた．だが，原理上，この説明は高次のどの科学についても成り立つ．たとえば，神経細胞の寿命は皮膚細胞の寿命よりも長いという生物学的事実に目を向けてみよう．細胞は物理的存在なので，いつかはこの事実も物理学で説明できるだろうと考えてもおかしくはない．けれども細胞は，微視的物理学のレベルで多型実現されていると見てまず間違いない．細胞は究極的には原子からできているが，原子の正確な配列は細胞ごとにきわめて大きく異なるはずだからである．したがって，「細胞」という概念は，基礎的な物理学の用語では定義できないことになる．「xが細胞であるのは，xが……のとき，かつそのときのみである」という形の，空所が微視的物理学の表現で埋められるような真なる言明は存在しないというわけだ．さて，もしこの見方が正しければ，神経細胞の寿命が皮膚細胞の寿命より長い理由を——それどころか，細胞に関するいかなる事実も——基礎的な物理学はけっして説明できないという話になる．細胞生物学の語彙と物理学の語彙のあいだには，期待されるような対応関係が成り立たないのである．こうして，細胞が物理的存在であるにもかかわらず，細胞生物学が物理学に還元できない理由が説明されたことになる．哲学者がみな多型実現説に満足しているわけではない．しかし，高次の科学が物理学から自立しており，また高次の科学どうしも互いに自立しているという事態を，たしかにそれはきれいに説明してくれそうである．

4　実在論と反実在論

哲学には古くから続く論争がある．実在論と観念論という，対立するふたつの学統のあいだの論争だ．実在論は，この物理的世界が人間の思考や知覚から独立に存在すると考える．観念論はこれを否定し，物理的世界は何らかのかたちで人間の意識活動に依存していると主張する．ほとんどの人にとって，納得がいくのは観念論よりも実在論の方だろう．実在論は，世界に関する事実が「そこに」あって，われわれが見つけ出すのを待っているという常識的な見方ともきれいに重なる．だが観念論の主張は，はじめて耳にした人には戯言として受け取られてもおかしくない．たとえ人類が死滅しても，岩や木々はそこにあり続けるだろう．だとしたら，いったいどういう意味でその存在が人間の心に依存しているというのか，と．けれども実際にはそれほど問題は単純ではなく，いまでも哲学者のあいだで議論が戦わされているのだ．

実在論と観念論の伝統的な論争は形而上学と呼ばれる哲学の分野に属しているが，科学との関わりがとくにあるわけではない．本章で取りあげたいのは，伝統的な論争とも多少似た，もっぱら科学をめぐる現代の論争である．いわゆる科学的実在論と，それとは反対の，反実在論や道具主義と呼ばれる立場との論争がそれだ．以下では「実在論」という言葉を科学的実在論の意味で，「実在論者」を科学的実在論者の意味でそれぞれ用いることにする．

科学的実在論と反実在論

科学的実在論の基本的なアイデアは単純である．世界の真なる記述を与えることが科学の目的であり，しかもその試みはしばしば成功をおさめている，というのが実在論者の考えだ．世界のあり方を真の意味で描き出すのがすぐれた科学理論だというわけである．読者はしごく当たり障りのない信条のように思われるかもしれない．「世界についての偽なる記述こそ，科学の目指すものである」などと言う人はいるはずもないのだから．だが反実在論者の見方は違う．科学の目的は，経験的に不足のない理論，つまり実験や観察の結果を正しく予測してくれる理論を見つけることにあると考えるのだ．理論が経験的に何の不足もなければ，それが真の意味で世界を記述しているかどうかは余計な問題でしかない．論者のなかには，そうした問題を無意味だとして切って捨てる者さえいる．

実在論と反実在論の対立がもっとも鮮明になるのは，観察不可能な実在領域についての主張を展開する科学に関してである．とりわけ物理学がいい例だ．物理学者は，原子や電子，クォークやレプトンなどの奇妙な対象についての理論を唱えるが，いずれもふつうの意味では観察できない．さらに，そうした理論は数学の言語をふんだんに用いて表現されるのが通例である．物理理論は，科学の素人による世界の常識的な描写とかなりの隔たりがあるのだ．それでも実在論者は，理論の狙いが世界——原子よりも小さな世界——の記述にあり，理論の成否は世界について述べたことが真かどうかにかかっていると主張する．その点では，科学理論も世界の常識的な記述も同等なのだ，と．

これに対して，科学理論は経験的に不足のないことが真の目的であって，真理を目指しているわけではないというのが反実在論者の主張である．なるほど，物理学者は観察不可能な対象について語ってはいる．だがその対象はただの便利な虚構でしかなく，観察可能な現象を予測するための方便として導入したにすぎない，と．例として，気体分子運動論について再度考えてみよう．この理論によれば，どんな体積の気体もきわめて多数の運動する微小な対象を含んでいる．これらの対象――すなわち分子――は観察できない．しかし，気体分子運動論からは，気体の観察可能な振る舞いについて，さまざまな帰結を演繹することができる．たとえば，圧力が一定のもとで気体に熱を加えると膨張するというのもそうした帰結のひとつであり，これは実験で検証することができる．そこで反実在論者は次のように考えるのだ．「気体分子運動論で観察不可能な対象が措定されるのは，この種の帰結を演繹するためにほかならない．運動する分子が実際に気体に含まれているかどうかは重要ではない．気体分子運動論の眼目は，隠れた事実の真なる記述を与えることではなく，何が観察されるかを予測する便利な方法を提供することにあるのだ．」ときに反実在論が「道具主義」と呼ばれるのも納得がいく．反実在論にとって科学理論とは，実在の根底的な姿を記述する試みというよりも，観察可能な現象を予測するのに役立つ道具なのである．

実在論と反実在論の争点が科学の目的にあるのなら，科学者本人に尋ねれば済むではないか，という意見もあるだろう．世論調査のかたちで，何を目的にしているかを科学者に聞いてみたらいいではないか，と．だがこの提案は当を失している．「科学の目的」という言葉をあまりに額面通りに受け取っているからだ．「科学の目的とは何か？」とわれわれが問うとき，科学者一人ひとりの目的を尋ねているわけではない．科学者がしていることは，どうしたらいちばんよく理解できるのか，科学という営みをどう解釈したらいいのかを問うているのである．実在論と反実在論の論争を科学者自身がどう見ているかがわかれば，たしかに面白いにはちがいない．だがこれは，つまるところ，やはり哲学の問題なのだ．

実在の観察不可能な領域についての知識は手に入れることができない――反実在論の動機のひとつはこの信念にもとづいている．人間の理解はその領域には及ばないと考えるのである．悲観的なこの見方は経験主義に由来する．人間の知識は，経験することが原理上可能なものにかぎられるという哲学的立場が経験主義である．経験主義のこの教えを科学に適用すると，科学的知識の限界はわれわれの観察能力によって定まるという見方が生まれる．つまり，化石や木々や糖質の結晶についてなら，科学は知識をもたらしてくれるが，原子や電子やクォークについてはそうではないと見るのである．こうした考え方は，まんざら説得力がないわけではない．化石や木々の存在を本気で疑う人はいないだろうが，原子や電子となると，そうではないからだ．実際，前の章で見たように，19 世紀末には原子の存在を疑うすぐれた科学者が大勢いた．しかし，こうした見方を受け入れるのであれば，当然ながら次の問題に答えねばならない．科学的知識が観察可能なものにかぎられるとしたら，なぜ科学者は観察不可能な対象を措定する理論を唱えるのか，という問題である．反実在論者の答えはこうだ．「その種の対象は便利な虚構にすぎない．そうした虚構を設けるのは，観察可能な領域にある事物の振る舞いの予測に役立てるためなのだ」

実在論者は，われわれの観察能力によって科学的知識の限界が定まるという意見には与しない．むしろ，観察不可能な実在について，われわれはすでにかなりの知識をもっていると彼らは見る．最良の科学理論が真であると信じる理由は十分すぎるほどあり，その理論が観察不可能な対象について語っているからだ．たとえば物質の原子論について考えてみよう．それによれば，あらゆる物質は原子からできている．原子論はこの世界に関する幅広い事実を説明してくれる．実在論者によれば，これは原子論が真であること，すなわち物質が実際に理論通りに振る舞う原子からできていることのすぐれた証拠である．もちろん証拠によって支持されているように見えても，原子論が偽である可能性はゼロではない．しかし，それはどんな理論にも言えることだ．原子が観察不可能だからというだけでは，原子論を，実在を記述する試み――しかも，きわめて上出来といってよい試み――とはべつの何かと解釈すべき理由にはならない．そう実在論者は考えるのである．

反実在論にはべつの動機も働いている．科学理論は，世界に関する日常的な記述にはない特異な性格をもっており，その事実もまた動機となっているのだ．科学ではモデル作りが研究の多くを占めており，たいていのモデルは数学の言語で表現される．モデルでは，現実世界には当てはまらないことを承知の上で，理想的な条件が仮定されるのがふつうである．モデルが扱いやすいものとなるには，理想的条件の仮定は欠かせないのだ．たとえば経済学の多くのモデルでは，経済主体が完璧に合理的であり，完全な情報をもち，効用の最大化につながる意思決定をするものと仮定されている．生身の人間がそうでないことは承知の上で，モデルが現実世界の経済を解き明かしてくれることを研究者は期待しているのである．進化生物学のモデルも同じ．そこで用いられる多くのモデルは，集団のサイズが無限大で，交配がランダムに行われることを仮定している．そうした仮定を設けると，数学的な扱いがはるかに簡単になるのだ．実際の集団がその種の仮定を満たすことはない．だが生物学者は，モデルが実在のすぐれた近似となって，説明力をもつことを期待するのである．反実在論者はしばしば，科学で理想モデルが広く使われていることこそ，自分たちが正しい証拠だと言う．実際には偽だとわかっている仮定を含んでいる以上，モデルが真の意味で世界を記述することを目指していると見るのは理屈に合わない．モデルの真の狙いは経験的に不足のないことなのだ，と．

けれども実在論者からすれば，この論法に決定力はない．彼らの主張はこうだ．科学理論において理想モデルがはたす役割を検討してみれば，科学が真理の獲得を目標にしているという考えをすぐさま放棄しなくてもいいことがわかる．われわれが受け入れねばならないのは，モデルの目的が厳密な真理ではなく近似的な真理の表現にあるということだ．例として，気候変動の数理モデルを考えてみよう．そうしたモデルには，化石燃料の消費を二酸化炭素排出の唯一の源とするような，計算を単純化するための厳密には真でないとわかっている仮定がいくつも含まれている．だがそれは，モデルの目的が正しい予測の導出だけにあることを意味しない．モデルは気候変動に影響する実際の隠れた原因因子を近似的に正しく記述することも狙っているのだ．たしかに気候変動モデルがすぐれたモデルと呼べるには，そこから導かれる予測が的中しなくてはならない．しかし本当の目的は，気候を左右する真の原因をできるだけ正確に表現したモデルを作ることにある．

世界を描いた理想モデルが，文字通りの意味で真なる記述となることはない．それでも，すぐれた近似にはなりうるのだ――そう実在論者は説くのである．

奇跡論法

観察不可能な対象を措定する多くの理論が経験的成功をおさめている．ミクロな対象の振る舞いについて，それらは見事な予測をしてくれるのだ．先ほどの節で触れた気体分子運動論もそのひとつだが，ほかにも数多くの例がある．また，理論の技術への応用も珍しいことではない．たとえばレーザー技術の土台には，高いエネルギー準位から低いエネルギー準位に遷移する電子についての理論があるが，近視の矯正や高品位の印刷，誘導ミサイルによる敵への攻撃など，レーザーはいろんな用途で活躍している．したがって，レーザー技術の拠り所となる理論は経験的に大成功をおさめたと言っていい．

観察不可能な対象を措定する理論の経験的成功は，科学的実在論の主な論拠のひとつとなっている．いわゆる「奇跡論法」である．最初に定式化したのは，アメリカ屈指の哲学者ヒラリー・パットナムだ．いま，かりに電子や原子が実在しないとしよう．するとその場合，原子や電子を措定する理論から正確な予測が導かれても，途方もないまぐれ当たりということになってしまう．原子も電子も存在しないとしたら，理論と経験的データとの見事な一致はどう説明されるのだろうか．同じく，理論を真と見なさないとしたら，その理論によってもたらされた技術の進歩はどう説明されるのだろうか．原子や電子が反実在論者の言うようにただの「便利な虚構」でしかないとしたら，なぜレーザーは実際の役に立つのだろうか．結局，反実在論の立場をとることは，奇跡の存在を信じるのと変わりがない．奇跡を持ち出さなくてもうまく説明がつくのであれば，奇跡など信じないほうがいいに決まっている．ゆえに，われわれは科学的実在論者であるべきだ．以上が奇跡論法である．

この論法は，実在論が正しくて反実在論が誤りであることを証明しようとしているのではない．これは納得のいく説明を目的とする論証，つまり最善の説明を導く推論である．説明すべきことがらとして，観察不可能な対象やプロセスを措定する多くの理論がいちじるしい経験的成功をおさめているという事実がある．そして，その事実の説明としては，「理論が真である，すなわち問題の対象が実在し，それが理論通りに振る舞っている」と考えるのが最善である，というのが奇跡論法の趣旨なのだ．この説明を受け入れないかぎり，理論の経験的な成功は説明のつかない謎になってしまうというわけである．

この奇跡論法に対して，反実在論の側は科学史の知見をもって応えている．歴史を振り返れば，のちに誤りが判明したものの，往時に経験的成功をおさめたという理論は少なくない．アメリカの科学哲学者ラリー・ラウダンは，1980 年代に発表した有名な論文でさまざまな時代と分野の研究を博捜し，そうした理論をいくつも拾い上げてみせた[★9]．燃焼のフロギストン説もそのひとつだ．これは 18 世紀末まで広く受容されていた理論で，ものが燃えると「フロギストン」と呼ばれる物質が空気中に放出されるという説である．現代化学の教えでは，これは偽であり，フロギストンなどという物質は存在しない．燃焼は，ものが空気中の酸素と反応して起きるのだ．ところが，フロギストンは存在しないにもかかわらず，フロギストン説は経験的に大きな成功をおさめた．当時のデータとかなりよく適合したのである．

この種の例からうかがえるのは，科学的実在論の支持材料とされる奇跡論法がせっかちすぎるということだ．奇跡論法を唱える者は，今日の科学理論の経験的成功を理論が真である証拠と見なす．しかし，科学史を見ればわかるとおり，経験的な成功をおさめた理論があとになって偽であると判明することは珍しくない．だとすれば，現在の理論もこれと同じ運命をたどらないとどうして言えるだろうか．たとえば，物質の原子論がフロギストン説の轍を踏まないと，どうして断言できるだろうか．科学史に相応の注意を払いさえすれば，経験的成功から理論が真であることを導き出す推論はかなり危ういことがわかる．原子論に対する理性的な態度とは，不可知論の立場にたって接することなのだ．原子論は正しいのかもしれないし，そうでないのかもしれない．ただわれわれには，どちらなのかを知るすべがないのである．以上が反実在論者の応答だ．

これは奇跡論法への力強い反撃だが，決定的と呼べるほどではない．実際，この批判に対して，実在論者は2通りの修正を論法にほどこして応酬している．ひとつめはこうだ．「理論の経験的成功が証拠として意味するのは，理論が厳密に真であることではない．近似的に真であることをそれは意味しているのである．」この弱い主張は，科学史上の反例からも攻撃を受けにくい．加えて，控えめでもある．このバージョンならば，実在論者でも，現在の科学理論が細部にいたるまで正しいとはかぎらない可能性を認めることができるからだ．それでいて，大枠では正しいとする考えを放棄せずに済む．理想モデルの説明で，実在論者がともかく近似的真理の概念を必要とした点は，すでに見たとおりである．ふたつめの修正バージョンでは，経験的成功の概念が次のように洗練される．「経験的に成功したか否かは，既存の観察データとの適合だけでなく，観察の対象としてこれまで知られていなかった新たな現象が予測できるかどうかも重要である．」経験的成功の規準をこのように厳しくすれば，経験的には成功をおさめながらも，あとで偽と判明した理論の歴史的事例は，容易には見つけにくくなる．

しかし，以上のような洗練で奇跡論法が救われるかどうかは，意見の分かれるところだ．たしかに歴史上の反例の数は減るだろうが，ゼロになるわけではないからである．なおも生き残る反例として，1690年にクリスティアーン・ホイヘンスがはじめて唱えた光の波動説がある．この説によれば，光とはエーテルと呼ばれる目に見えない媒質を伝わる波のような振動である．エーテルは宇宙全体に充満しているとされる．（波動説とライバル関係にあったのが光の粒子説だ．こちらはニュートンが擁護した説であり，光は光源から放射されたきわめて小さな粒子でできているとされる．）波動説が一般に受け入れられるようになったのは，1815年にフランスの物理学者オギュスタン・フレネルがこの説を数学的に定式化して，それまで知られていなかった驚くべき光学現象の予測に用いてからだ．光学実験によってフレネルの予測は確証され，19世紀の多くの科学者が波動説の正しさを確信した．けれども現代の物理学によれば，この波動説は真ではない．エーテルなるものは存在せず，したがって光はエーテルの振動ではないのである．つまり，これもやはり経験的には成功したものの偽であるような理論ということになる．

この例で重要なのは，修正版の奇跡論法にとっても不利な材料になる点だ．フレネルの理論はいままでにない予測をしてみせたので，経験的成功の概念をより厳格に解釈しても，「経験的に成功した」と言ってかまわない．しかし，現実には存在しないエーテルの概念に理論はもとづいていたのだから，「近似的に真」とすら呼べそうにない．理論が近似的に真であるということが正確には何を意味するにせよ，そう言えるためにはまず，「理論の話題にする対象が現実に存在する」という条件が満たされねばならないはずである．要するにフレネルの理論は，厳格な意味でも経験的に成功していると言えるが，近似的にすら真ではないわけだ．「現代の科学理論が経験的に成功しているからといって，たとえ大雑把な意味であっても正しい道を歩んでいると考えるべきではない．」これが反実在論者の導き出した教訓である．

奇跡論法の評価はいまだ決着をみていない．一方で，この論法は，科学史の側からの手厳しい反論をまぬかれない．しかし他方で，この論法にはわれわれの直観に強く訴えかけるものがある．原子や電子といった対象の存在を仮定する理論のめざましい成功を思うにつけ，こうした対象が存在しないかもしれないなどという意見はきわめて受け容れがたいからである．しかし，歴史が示すように，データとの適合がどれほど認められようと，現在の科学理論を真と見なすことには慎重でなければならない．科学者が正しいと思っていたことが誤りと判明した例は，けっして珍しいものではないのだ．

観察可能と観察不可能の区別

実在論と反実在論の論争でなにより重要なのは，観察可能なものと観察不可能なものの区別である．これまでは，この区別が当然成り立つという前提でお話をしてきた．テーブルや椅子は観察できるが，原子や電子はそうではないといったように．ところがこの区別は，哲学的に見てかなり深刻な問題をはらんでいる．実際，「しかるべき原則にもとづいて両者を区別することはできない」という主張は，科学的実在論の主な論拠のひとつでもあるのだ．

なぜこれが科学的実在論の論拠になるのだろうか．その理由はこうだ．科学は観察不可能な実在についての知識を提供しえない，というのが反実在論者の考えだった．そこには，観察の可能なものと不可能なものとが明確に区別できるという前提がある．したがって，もしこの区別が満足にできないとなれば，反実在論は明らかに困難に陥る．だからこそ実在論者は，この区別がはらむ問題をしきりと強調したがるわけだ．

そうした問題のひとつとして，観察と検知の関係にかかわるものがある．電子のような対象はふつうの意味では観察できないが，粒子検知器と呼ばれる特殊な装置を使えば，その存在を検知することができる．もっとも単純な粒子検知器が霧箱である．これは水蒸気を飽和させた空気で密閉容器を満たしたものだ(図5)．電子などの荷電粒子が箱のなかを通過すると，空気中の中性原子と衝突し，それをイオン化する．すると，水蒸気がイオンの周りに凝縮して液滴が形成され，肉眼でも捉えられるようになる．この液滴の跡を見れば，霧箱を通る電子の軌跡をたどることができる．さて，これは結局のところ，電子が観察可能であることを意味するのだろうか．大半の哲学者は，そうではないと言うだろう．霧箱のおかげで電子が検知できたということであって，直接観察できたということではない．高速で飛行するジェット機は機体の後ろにたなびく飛行機雲で検知することができるが，飛行機雲を見たからといってジェット機を観察したとは言えない．霧箱

図5　霧箱

もそれと同じような話だと．しかし，観察と検知の区別はいつでも明確だろうか．

1960 年代の初頭にグローヴァー・マクスウェルが唱えた，科学的実在論の有名な擁護論がある．彼はこんな問いを反実在論者に投げかけた．次のような事象の系列について考えてみよう．肉眼でものを見る，窓越しにものを見る，度の強い眼鏡をかけてものを見る，双眼鏡でものを見る，低倍率の顕微鏡でものを見る，高倍率の顕微鏡でものを見る……．マクスウェルは，これらの事象が切れ目のない連続体のうえに位置していると主張した．では，観察かそうでないかの判断は，どのようになされるのだろうか．生物学者は，高倍率の顕微鏡で微生物を観察することができるのだろうか．それとも，物理学者が霧箱のなかの電子の存在を検知するのと同じで，その存在を検知することしかできないのだろうか．科学の精巧な道具の助けを借りてはじめて見ることができるものは，観察可能なものと言えるのだろうか，それとも観察不可能なものと言うべきなのだろうか．観察ではなく検知と見なせるのは，どれだけ精巧な道具を用いたときなのだろうか．何らかの原則にもとづいてそうした問題に答えようとしても，それはできない．したがって――とマクスウェルは言う――対象を観察可能なものと不可能なものに分類しようという反実在論者の試みはうまくいかない．

科学者自身，精巧な装置を用いて粒子を「観察する」という言い方をすることがあるが，こうした事実もマクスウェルの議論を後押ししている．哲学の文献では，電子は観察できない対象の典型例として扱われるのがふつうである．しかし科学者のあいだでは，粒子検知器を用いて電子を「観察する」という言い方がさほど違和感なく用いられている．だからといって，哲学者が間違っており，電子は観察できるということではもちろんない．たぶん，科学者にそういう言い方をする習慣があるという話でしかないからだ．また，理論を「実験によって証明する」という科学者の言い方も，やはり実験によって理論が真であると証明できることを意味するわけではない．その点は第2章で述べたとおりである．しかし，反実在論者が主張するような観察可能なものと観察不可能なものという，哲学者から見て重要な区別が本当に成り立つならば，科学者自身の言葉づかいがそうした区別とあまりに噛み合わないのは奇妙というしかない．

マクスウェルの論法はたしかに強力ではある．しかし，決定的と呼べるほどではない．現代の代表的な反実在論者であるバス・ファン・

フラーセンによれば，マクスウェルの論法が示すのは，「観察可能」という言葉が曖昧なものだということでしかない．曖昧な言葉とは，境界事例のある言葉のことだ．たとえば「禿」がそうだろう．髪の薄さは程度問題なので，禿げているとも禿げていないとも言いにくい人はいくらでもいる．しかしファン・フラーセンは，曖昧な言葉であっても使用になんら問題はなく，それを用いてこの世界のなかにきちんとした区別立てを設けることができると指摘する．「禿」が曖昧な言葉だからといって，禿の男性とふさふさした髪の男性の区別を現実から遊離した絵空事という人はいないだろう．たしかに両者のあいだに明確な境界線を引こうとすれば，どうしても恣意的なものになってしまう．けれども，禿であることが明白な男性も，ふさふさの髪の持ち主であることが明白な男性もいる以上，明確な境界線が引けないことは大した問題ではない．ファン・フラーセンによれば，同じことが「観察不可能」という言葉にも当てはまる．つまり，椅子のように観察可能であることが明白な対象もあれば，クォークのように観察不可能であることが明白な対象もある．マクスウェルの論法では，このほかに境界事例もあるという事実が強調された．問題の対象が観察可能なのか，それとも検知可能なだけなのか，はっきりしない事例である．たしかに，両者のあいだに明確な境界線を引こうとすれば，いくぶん恣意的になるのは避けられない．しかし——とファン・フラーセンは言う——禿の場合と同じで，これは観察可能と観察不可能という区別が絵空事であることを意味するものではない．

この論法には，どれだけ説得力があるだろうか．境界事例があるからといって，また明確な境界線を引こうとすると恣意的にならざるをえないからといって，観察可能なものと観察不可能なものとの区別が絵空事であることにはならない，とファン・フラーセンは論じる．たしかにこの言い分はもっともだろう．またそのかぎりで，マクスウェルに対する彼の批判は成功していると言っていい．しかし，観察可能なものとそうでないものとが現実に区別できるからといって，その区別に反実在論者の込める意義があると言えるわけではない．観察不可能であることが明白な対象が存在すること．反実在論者としては，その点さえ認めてもらえれば十分であること．それがファン・フラーセンの主張だった．しかし，たとえ彼のこの主張を認めたとしても，観察不可能な実在領域について知ることができないと考える根拠が必要である．

決定不全性論法

そうした論拠のひとつに，科学者の経験的データと理論の関係に着目するものがある．科学理論が説明すべき経験的データとは，観察可能な対象やプロセスについての事実にほかならない．反実在論者はこの点を強調する．例として，気体分子運動論についてもう一度考えてみよう．この理論によれば，どんな気体のサンプルも運動する分子から成り立っている．これらの分子は観察不可能なので，当然ながら，いろんな気体のサンプルをじかに観察して理論をテストするわけにはいかない．そこで，直接テストのできる何らかの言明を理論から演繹する必要が生じる．その言明とは，例外なしに観察可能な対象に関するものだ．すでに見たとおり，気体分子運動論は「圧力が一定のとき，熱を加えられた気体は膨張する」という言明を含意する．実験室でしかるべき装置の目盛りを観察することで，この言明は直接テストできる．さて，いまの例はある一般的な真理を物語っている．観察不可能な対象やプロセスを措定する理論を支えるのは，結局のところ，観察可能な現象についてのデータであるという真理だ．

そこで反実在論者は言う．科学者が経験的データをもとに理論を立てても，データはその理論を「完全には決定しない」と．つまり，同じデータであっても，多くの異なる，互いに両立しない理論によって原理上は説明できるというのである．気体分子運動論の場合であれば，反実在論者はこう言うにちがいない．「問題の経験的データについては，この理論のように，「気体は多数の運動する分子を含んでいる」と説明することもできるだろう．だが，それは説明のひとつでしかない．説明はほかにもありうる．しかも気体分子運動論とは対立する説明だ．」つまり，反実在論者によれば，観察不可能な対象を措定する科学理論は，経験的データによって完全に決定されることはないのである．同じようにうまくデータを説明する競合理論が必ず複数あるというのだ．

この決定不全性論法が反実在論の科学観に肩入れするものであることは，容易に見当がつく．ある科学者が，広範囲の経験的データを説明できるからという理由で，観察不可能な対象に関するある理論を信じているとしよう．しかし，データがほかにもさまざまな理論で説明できて，しかもそれらの理論が互いに両立しえないとなれば，くだんの科学者の確信も見当はずれに思えてくる．いったいどんな理由があって，この科学者はほかの理論ではなくその理論を選ばねばならないのか，と．決定不全性からは，「観察不可能な実在領域に関する理論には，不可知論で臨むのが合理的である」という結論が無理なく導かれるのである．

けれども，経験的データはつねに複数の理論で説明できるという，反実在論者の話は本当だろうか．こうした主張に対して実在論者は，「それは自明であって，わざわざ言い立てるほどのことではない」と応じるのがふつうである．たしかに原理上は，与えられた観察データに対してつねに複数の説明が可能だろう．しかし，だからといって可能な説明がどれも同じようにすぐれていることにはならない．理論によっては，ほかよりも単純だったり，他分野の科学理論との相性がよかったり，仮定する隠れた原因の数が少なかったりするだろう．データとの両立可能性のほかにも理論選択の規準があることを認めれば，決定不全性の問題は片づいてしまうのだ——そう実在論者は応えるのである．

科学史のなかに決定不全性の事例と呼べるものがあまり見あたらない事実も，こうした考え方を裏打ちしている．反実在論者が言うように，経験的データの説明がつねにいくつもの理論で可能ならば，科学者の意見はほとんど永久に一致をみないはずである．だが実際には，そんなことはない．むしろ歴史のなかに見つかるのは，決定不全性論法が期待させるものとは正反対の光景である．ふつう科学者は，同じデータについて数多くの説明を手にするどころか，データにうまく適合する理論をひとつ見つけることにさえ四苦八苦しているのだ．決定不全性が哲学者の憂いごとでしかなく，現場の科学とはほとんど無関係であるというのが実在論者の見方だが，こうした歴史の実情もそれを裏づけている．

だが，この切り返しに反実在論者が心を動かされることはまずない．たとえ実践的な含意に乏しいとしても，哲学者の危惧がまがい物でないことは確かなのだから．さらに，単純性などの規準を用いれば競合する理論に優劣をつけることができるという意見も，ただちに厄介な問題を招き寄せてしまう．単純な理論を真である可能性が高いと考える理由は何なのか，という問題である．これについては第2章で触れておいた．

データの説明が競合しても，単純性などの規準を用いて説明に優劣をつければ，決定不全性も実践的に解消できる．この点は，反実在論者もふつう認めるところである．しかし彼らは，そうした規準が真理の信頼すべき指標であるとは認めない．いわく，単純な理論はたしかに使いやすいかもしれない．だが，複雑な理論とくらべて本来的に真である可能性が高いというわけではない．したがって，決定不全性論法は有効である．経験的データの説明は原理上つねに複数あり，そのなかのどれが真かを知るすべはない．そうである以上は観察不可能な実在領域についての知識など望みえない——．

ところが，話はまだ終わらない．なおも実在論者からの応酬があるからだ．「反実在論者は，決定不全性論法をわざと特定のケースだけに適用している．もしこの論法を徹底するなら，観察不可能な世界についての知識だけでなく，観察可能な世界の大部分についても知識は得られないことになってしまうではないか」と実在論者は応じるのである．彼らの反論を理解するために，観察可能なものであっても，その多くが実際に観察されるわけではないことに注意しよう．たとえば，この地球に生息する生物のほとんどを人間が実際に観察することはない．しかし，それらは明らかに観察可能である．あるいは，巨大な隕石が地球に衝突するといった出来事を考えてもいい．そのような出来事を観察した人は一人もいないが，これもやはり明らかに観察可能である．たまたま，しかるべき時と場所に人間が居合わせなかったにすぎない．観察可能なもののうち，実際に観察されるのはほんの一部でしかないのだ．

肝心なのは次の点である．人間の知識は観察不可能な実在領域に及ばない，と反実在論者は主張する．ということは，まだ実際には観察されていなくても，それが観察可能な対象や事象ならば，知識を得ることができると認めるわけだ．ところが，未観察のものに関する理論もまた，観察不可能なものについての理論と同じく，データによっては完全に決定されないのである．たとえば，1987 年に隕石が月に衝突したという仮説をある科学者が唱えたとしよう．仮説の裏づけとして，さまざまな観察データが引証される．人工衛星が撮影した月の写真に，1987 年以前には存在しなかった巨大なクレーターが写っている，といった類である．しかしこのデータは，原理上，ほかの仮説によっても説明がつく．ひょっとしたら，クレーターは火山噴火や地震でできたのかもしれない．あるいは衛星写真を撮影したカメラに不具合があり，実際にはクレーターなどないのかもしれない．つまり，仮説で話題にしている事象(隕石の月面衝突)が申し分なく観察可能であっても，科学者の仮説はデータによっては完全に決定されることがないのだ．決定不全性論法のロジックを貫けば，知識は実際に観察したものについてしか得られないという結論にどうしても行き着いてしまう．そう実在論者は指摘するのである．

この結論を受け入れる科学哲学者は多くないだろう．科学がわれわれに教えてくれることの大半は，観察されたことのない事象についてのものだからである．氷河期も恐竜も大陸移動もそうだ．「未観察のことがらに関する知識はありえない」と述べるのは，「科学的知識として一般に認められているもののほとんどが，実際には知識ではない」と述べるのに等しい．科学的実在論者は，この点をとらえて，決定不全性論法の誤りを示すものと見なすのである．彼らは言う．未観察の事象であっても，科学が知識を与えてくれることは疑う余地がない．たとえ未観察の事象に関する理論が，データによって完全には決定されないとしてもだ．したがって，決定不全性は知識の妨げにはならない．だとすれば，観察不可能なものについての理論がデータによって完全には決定されないからといって，それについての知識を科学が提供しえないという話にはならない――．

こうした議論を展開する実在論者は，要するに，決定不全性の問題が形を変えたヒュームの帰納法の問題にほかならないと述べているわけだ．決定不全であるとは，同じデータを説明できる理論がいくつもあることを意味する．しかしこれは，データは理論を含意しない，つまりデータから理論を導く推論は非演繹的であると言うのと同じである．理論の対象が観察不可能なものであれ，観察可能だが実際には観察されていないものであれ，そこに違いはない．いずれのケースでも同じ論理が成り立つ．もちろん，決定不全性論法が帰納法の問題の一種であることが示せたからといって，問題として無視していいということではない．けれども，観察不可能な対象だけの特別な問題などないことは確かである．「そうである以上，結局のところ，反実在論者の立場は恣意的なものでしかない」と実在論者は言う．どうして科学が原子や電子の知識を提供できるのかを理解しようとすると，そこにはさまざまな問題が浮かんでくる．だがその問題は，われわれが普段目にする対象について，科学がどうして知識を提供できるのかを理解しようとするときに出くわす問題と変わらない――そう彼らは訴えるのだ．

5　科学の変化と科学革命

科学はめまぐるしく変化する．何でもいい，適当な専門分野を取りあげて眺めてみよう．たいていの場合，現行の理論が50年前とは一変しており，100年前の理論とは似ても似つかないことに気づくはずだ．ほかの分野の知的活動とくらべても，科学という営みは急激な変化を遂げていることがわかる．この科学の変化をめぐっては，興味深い哲学的問題がいくつも論じられている．科学のアイデアが時とともに変化するとき，そこには何かパターンが見られるのだろうか．既存の理論を棄てて新たな理論を採用する科学者の振る舞いは，どう説明すべきだろうか．後から登場した科学理論は，以前の理論よりも客観的にすぐれていると言えるのだろうか．

こうした問題をめぐる現代の議論のほとんどが，アメリカの科学史家・科学哲学者トマス・クーンの研究から出発している．1962年，クーンは『科学革命の構造』と題する一書を世に問うた．その後の科学哲学に深甚な影響を及ぼすことになる作品だ．クーンの思想の衝撃は，社会学や人類学といったほかの学問分野でも，一般の知的文化においても見て取れる．（『ガーディアン』紙は，20世紀でもっとも影響力のある100冊のひとつに『科学革命の構造』を選んでいる．）クーンの思想はなぜそこまで反響を呼んだのだろうか．それを理解するには，この本が出版される以前の科学哲学の状況を瞥見しておく必要がある.

論理経験主義の科学哲学

第二次大戦後の英語圏では，論理経験主義がもっとも有力な哲学運動だった．論理経験主義者たちは，もともと，哲学者と論理学者と科学者からなる緩やかな結びつきの集団だった．1920年代から1930年代初頭にかけて，彼らはウィーンやベルリンで会合を重ねた．（第3章で登場したカール・ヘンペルはこのグループと密接なつながりがあった．カール・ポパーもそうだ.）ナチスの迫害を逃れて，論理経験主義者の多くはアメリカに移住した．そしてその地で，彼らと支持者たちはアカデミアの哲学に大きな影響力をふるうのである．しかし，1960年代の半ばになると，運動は次第に瓦解していった．

論理経験主義者たちは，自然科学と数学と論理学にきわめて深い敬意を抱いていた．20世紀初頭は，科学で――とりわけ物理学で――胸の躍るような進歩がみられた時代だった．彼らもまたそうした進歩に奥深い感銘を受けたのである．彼らは目標のひとつとして，哲学それ自体をもっと「科学的」なものにすることを掲げた．そうすれば哲学でも，科学と同じように進歩が可能になるのではないかと期待したのだ．とりわけ彼らの目に印象深く映ったのは，科学が客観的なものに思われる点だった．研究者の主観的な意見に大きく左右されるほかの分野とは違い，科学の問題はあくまで客観的な方法で解決されると彼らは信じた．実験によるテストなどの技法を使えば，科学者は，理論と事実をじかに照らし合わせることができるし，自説のメリットについても，それによって十分な情報にもとづいた公平な判断を下せると．つまり論理経験主義者にとって，科学とは合理的活動のお手本であり，真理に通じるもっとも確かな道だったのである．

ところが，科学を高く評価していたにもかかわらず，論理経験主義者たちは科学思想史にほとんど注意を払わなかった．いちばんの理由は，いわゆる「発見の文脈」と「正当化の文脈」とを彼らが明確に区別したことにあった．発見の文脈とは，科学者が理論にいたるまでの実際の歴史過程をいう．一方，正当化の文脈とは，手にした理論について科学者が正当化を試みる際に用いる手段を指す．理論のテスト，関連証拠の収集，競合する理論との比較などがそれである．論理経験主義者たちの考えでは，前者は主観的・心理的プロセスであり，厳密なルールによっては支配されない．それに対して，後者は客観的な論理の問題である．科学哲学者の仕事は後者の研究にかぎられるべきだ，というのが彼らの立場だった．

具体例で説明すれば，わかりやすいかもしれない．1865年，ドイツの化学者ケークレは，ベンゼン分子が六角形構造であることを発見した．彼は自分の尾を咬もうとするヘビの夢を見て，六角形構造の仮説を思いついたらしい(図6)．仮説が一般に受容されるに先立って，ケークレが科学的にそれをテストせねばならなかったことは言うまでもない．これは極端な例だが，ときに科学の仮説がおよそ思いもよらない方法で得られる事実を物語っている．仮説は慎重で周到な思索の産物とはかぎらない．どうやって仮説を手にしたかはどうでもいい．大事なのは，すでに得られた仮説をどうテストするかである．なぜなら，それこそが科学を合理的な活動たらしめるものなのだから，というのが論理経験主義者の考えだった．

論理経験主義の科学哲学にとってもうひとつの重要なテーマとなっ

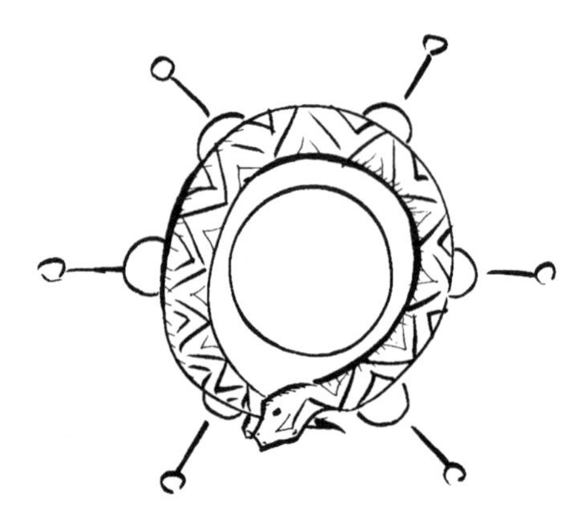

図6　ケークレは，自分の尾を咬もうとするヘビの夢を見て，ベンゼンの六角形構造仮説を思いついた．

たのは，理論と観察事実の区別だった．これは第4章で論じた，観察可能なものと観察不可能なものの区別と関係がある．論理経験主義者たちは，競合する科学理論のあいだの論争が申し分なく客観的に解決できると信じていた．理論と「中立的」な観察事実とをじかに照らし合わせればいい．観察事実は，どの陣営に与しようと受け入れることができる，と．中立的な事実をどう特徴づけるかで議論がかわされたが，彼らは，そうした事実が存在することだけは譲らなかった．理論と観察事実がはっきり区別できなければ，科学の合理性も客観性も危うくなってしまう．けれども，科学が合理的で客観的なものであることは疑いない——そう堅く信じていたのである．

クーンの科学革命論

クーンは科学史家としての訓練を受けた人だが，哲学者も科学史の研究から多くを学べるという考えをもっていた．論理経験主義者が科学の営みについて不正確で素朴なイメージを抱いたのも，科学史に十分な注意を向けなかったせいだ，というのが彼の持論だった．書名からもうかがえるように，クーンの関心はとりわけ科学革命にあった．科学革命とは，既存の科学思想が根本的に新しいものに取って代わられる大変動期をいう．天文学におけるコペルニクス革命，物理学におけるアインシュタイン革命，生物学におけるダーウィン革命がその例である．いずれの革命も，科学的世界観に根本的な変化をもたらした．既存の考え方が，まったく異なる考え方によって打ち倒されたのである．

もちろん，科学革命は比較的まれにしか見られない．どの科学も，ふつうは革命の状態にはない．クーンは，革命的変化の起こっていない時期に科学者が日々従事する活動を「通常科学」という新しい言葉で呼んだ．通常科学に関するクーンの説明で重要なのはパラダイムの概念である．パラダイムは主にふたつの要素からなる．ひとつは，科学者のコミュニティーの全員が受け入れている，理論上の基本前提の集合．もうひとつは，そうした理論的前提を用いて解かれ，その分野の教科書に掲載されている科学の具体的な問題――「模範例」――の集合である．ただし，パラダイムはたんなる理論にとどまるものではない(クーンは時々このふたつの言葉を同義のように用いているが)．科学者たちがひとつのパラダイムを共有するとき，ある一定の科学的命題についてだけ合意しているわけではない．自分たちの分野の研究がこの先どのように進められるべきか，取り組むべき問題はどれか，それを解くにはどのような方法が適切か，問題の答えとして受け入れることのできる解とはどのようなものか，といった点についても合意が成り立っている．要するにパラダイムとは，科学的な考え方全体であり，科学者のコミュニティーをひとつにまとめ，通常科学の営みを可能にする，共通の前提・信念・価値観の集まりを意味しているのである．

通常科学では何が行われるのだろうか．クーンによれば，通常科学とは基本的にパズル解きの作業である．パラダイムがどれほどうまくいっていても，必ず問題に遭遇する．容易には説明できない現象や，理論上の予測と実験事実との食い違いなどだ．通常科学にたずさわる者は，こうした小さな難問（パズル）を解消しながら，パラダイムに加わる変更を最小限にとどめようと努める．つまり，通常科学とは保守的な営みなのであり，それに従事する者は，あっと驚くような発見を狙っているのではなく，いまあるパラダイムを発展させ拡張しようとしているのである．クーンの言葉で言えば，「通常科学は新奇な事実や理論を目指していない．通常科学がうまくいっているときには，そのようなものは見つからないのだ．」クーンがとくに強調するのは，通常科学にたずさわる者がパラダイム自体のテストを試みていない点である．むしろ，彼らはパラダイムを何の疑問も抱かずに受け入れ，それが設定する範囲内で研究を行う．たとえパラダイムと食い違う実験結果を得たとしても，パラダイムが誤っているとは考えず，自分の実験技術に問題があったと考えるのがふつうなのだ，と．

通常科学は何十年にもわたることが多い．ときには数世紀に及ぶこともある．この間，科学者は少しずつパラダイムを明確なものにしていく．微調整をほどこし，細部を埋め，適用範囲を広げて．しかし，やがてアノマリーが見つかる．科学者がどんなに努力しても，パラダイムと調和させることができない現象である．アノマリーの数がまだ少ないうちは，無視されることも多い．けれども，それが蓄積していくにしたがい，コミュニティーには危機意識が急速に広まっていく．既存のパラダイムへの信頼が崩れ，通常科学のプロセスが停滞するのだ．クーンの言う「異常科学」の始まりである．そこでは科学の基本的なアイデアが妍(けん)を競い合う．古いパラダイムに対して，さまざまな対案が提起される．そして，ついには新たなパラダイムが確立される．ふつう，科学者のコミュニティーの全員が新しいパラダイムの陣営に引き入れられるには――すなわち科学革命が完成するには――およそ一世代の時を要する．こうした古いパラダイムから新しいパラダイムへの移行にこそ科学革命の本質はある，というのがクーンの説明である．

長期にわたる通常科学と，科学革命による折々の中断．クーンによる科学史のこのような特徴づけは多くの学者たちの共感を得た．クーンの描写と見事に合致する科学史上の事例はいくつもある．たとえば，プトレマイオス天文学からコペルニクス天文学への移行や，ニュートン物理学からアインシュタインの物理学への移行を検討すれば，クーンの挙げる特徴の多くがそこには見られるだろう．実際，プトレマイオス派の天文学者は，地球が宇宙の中心に静止しているという説を核とするパラダイムを共有しており，このパラダイムを疑う余地のない背景として研究活動を展開したのである．同じことは，18，19世紀のニュートン物理学の学徒たちにも言える．彼らのパラダイムは，ニュートンの力学と万有引力の理論を中心に形成されたものだった．いずれのケースにも，新旧のパラダイムの交代に関するクーンの説明はかなり正確に当てはまる．なるほど，クーンのモデルにぴたりとは合致しない科学革命もある．たとえば，1950年代から60年代にかけて生物学で起きた分子革命がそうだ．しかし，クーンの科学史の記述には多くの価値ある内容が含まれているというのが，大方の一致した見方である．

なぜクーンの思想はこれほどまで大きな波乱を呼んだのだろうか．理由は，科学史に関する記述的主張に加えて，物議を醸す哲学的テーゼを彼が唱えたことにある．ふつうわれわれは，新旧の理論の交代が証拠にもとづいて進められると考えている．ところがクーンは，新たなパラダイムの採用には，科学者のいわば主義・信条という要素が絡んでくると述べたのである．古いパラダイムを棄てて新しいパラダイムを採用する科学者に，そうする正当な理由がありうることはクーンも認める．だが，合理的な理由だけでパラダイム・シフトを余儀なくされることはありえないと彼は説くのだ．いわく，「忠誠を捧げるパラダイムを変えることは転向経験であって，その転向は〔論理や観察といった合理的理由に〕強いられるものではない．」さらに，科学者のコミュニティーのなかで新しいパラダイムが急速に受容されていく理由の説明として，クーンは科学者たちの仲間どうしのプレッシャーを強調する．あるパラダイムにきわめて有力な支持者がいれば，それだけ広く受け入れられやすくなるというのである．

クーンを批判する人の多くは，こうした主張に唖然とした．パラダイム・シフトがクーンの指摘するようなかたちで起こるとすれば，科学を合理的活動と呼ぶことは難しくなるからである．科学者が信念の根拠とするのは，自分の主義・信条や同業の研究者からの圧力ではなく，証拠と理性のはずではなかったか．ふたつのパラダイムが競い合うとき，科学者はそれらを客観的に比較して，どちらに有利な証拠があるかを判断すべきではなかったのか．「転向経験」をするとか，同学の科学者のなかでもっとも有力な人物からの説得に身を委ねるなど，とうてい合理的な振る舞いとは思えない．クーンの説明にしたがうと，科学における理論選択は「群集心理の問題」になってしまう，と批判する者もいた．[★10]

クーンはまた，科学の変化の全体的な方向性についても穏やかならざる主張を唱えた．大方の見方によれば，以前の誤った考えが新しい正しい考えに取って代わられながら，科学は真理に向かって直線的に進歩していく．そして，後から登場した理論は以前の理論よりも客観的にすぐれており，時とともに科学的知識は蓄積されていく．このような直線的・累積的な科学観は，科学者と一般人とを問わず，世の通念になっている．ところがクーンは，こうした考え方は歴史的に見て不正確であり，哲学的にも素朴だと主張したのである．

たとえば彼は，アインシュタインの相対性理論が，ある点ではニュートン物理学よりもアリストテレス自然学に似ていると述べている．力学の歴史は誤ったものから正しいものへと直線的に進んでいく過程では必ずしもない，というわけだ．さらにクーンは，客観的真理という概念がそもそも本当に意味をなすのだろうかと問いかけた．この世界については，どんなパラダイムからも独立の，確定した事実が存在すると考えられている．けれども，そのような考え方が本当に筋の通ったものかは疑わしいと見るのである．クーンはラジカルな対案を提起する．世界についての事実はパラダイムと相対的であり，パラダイムが変われば事実も変わると考えるべきではないかと．もしこの提案が正しければ，理論が「ありのままの」事実に対応しているかどうか，つまり理論が客観的に真かどうかを問うのは意味をなさないことになる．クーンが科学に関してラジカルな反実在論を支持するようになったのも，こうした事情による．

通約不可能性とデータの理論負荷性

これらの主張を支える主な哲学的論拠として，クーンはふたつを挙げた．ひとつは，競合関係にあるパラダイムはふつう互いに「通約不可能」であるというものだ．この概念を理解するには，クーンにとってパラダイムが科学者の世界観全体を決定するものであったことを思い起こさねばならない．科学革命で既存のパラダイムが新しいものに取って代わられるとき，科学者は世界を理解するために用いてきた概念枠をまるごと棄て去る必要がある．やや比喩的な言い方だが，クーンは，パラダイム・シフトの前後で科学者の「住む世界が変わる」とさえ述べている．ふたつのパラダイムの違いは，単純な比較を許さないほど大きくなりうる．その場合，ふたつのパラダイムを共通の言語に翻訳しようにも，そのような言語は存在しない，というのが通約不可能性の考え方である．結果として，異なるパラダイムの支持者は「お互いの視点を細部にいたるまで突き合わせて議論することができない」というのだ．

いささか曖昧模糊としているとはいえ，たしかにアイデアとしては面白い．科学の概念の意味は，その概念が一翼をになう理論に由来するとクーンは考えたが，通約不可能性説もそうした考え方から来ている．たとえばニュートンの質量概念を理解するには，ニュートンの理論の全体を理解しなければならない．概念は，それが埋め込まれている理論と切り離しては説明できないということだ．こうした考え方はしばしば「全体論」と呼ばれるが，クーンはこれをきわめて重く受け止めた．彼は次のように述べている．実のところ，ニュートンとアインシュタインとで「質量」という語はべつのことを意味している．埋め込まれている理論が大きく異なるからである．ということは，要するに，ニュートンとアインシュタインがべつの言語を話していたということだ．そのため，彼らの理論を比較する試みは，当然ながら厄介なものにならざるをえない．ニュートン派の物理学者とアインシュタイン派の物理学者が理性的に議論をかわそうとしても，すれ違いに終わるだろう――．

パラダイム・シフトをきわめて「客観的」な性格のものとする見方を論駁する根拠として，そしてまた非累積的な科学史像を支える材料として，クーンはこの通約不可能性テーゼを利用した．伝統的な科学哲学は，競合する理論からの選択に大きな困難がともなうとは考えない．手もとの証拠に照らして理論を客観的に比較すれば十分だと見るのである．だがそのような見方は，両方の理論を表現できる共通言語の存在を前提している．もしクーンの言うように，新旧それぞれのパラダイムの支持者が議論をかわしても文字通りすれ違いにしかならないのであれば，パラダイム選択はそのような単純な説明で済むはずがない．通約不可能性はまた，科学史を直線的に描く伝統的な見方にも疑問符を突きつける．もし新旧のパラダイムが通約不可能ならば，科学革命を「正しい」思想と「誤った」思想の交代劇と見なすわけにはいかなくなる．「こちらの考えが正しくて，向こうの考えは誤りだ」と述べるのは，両者を評価する共通の枠組みがあることを意味するが，それこそがクーンの否定したことだからである．通約不可能性は，科学の変化が真理へと単純に進んでいくものではなく，ある意味で方向性のないものであることを含意している．後から登場したパラダイムは以前のものよりすぐれているわけではない．それらはただ別物にすぎないということだ．

クーンの通約不可能性テーゼに納得した哲学者はあまりいなかった．ひとつの問題は，クーンが新旧のパラダイムを両立不可能だと述べた点にあった．クーンのこの主張は，たしかにもっともではある．もし新旧のパラダイムが両立不可能でないのなら，どちらか一方を選ぶ必要もないだろうからだ．実際，両立不可能であることが少なくとも明白な事例はいくつもある．惑星は地球を周回しているというプトレマイオスの主張が，惑星は太陽を周回しているというコペルニクスの主張と両立しないのは明らかだろう．けれども，クーンの批判者が即座に指摘したように，ふたつのものが通約不可能ならば，それらは両立不可能ではありえないのである．その理由を理解するために，「物体の質量はその速度に依存する」という命題について考えてみよう．アインシュタインの理論によればこの命題は真だが，ニュートンの理論では偽である．しかし，もし通約不可能性説が正しいとすると，実際には，ニュートンとアインシュタインのあいだに意見の対立などないことになってしまう．ふたりにとって，この命題はべつのことを意味しているからだ．両者が真の意味で対立するのは，命題が両方の理論で同じ意味をもつときでしかない．アインシュタインの理論とニュートンの理論が対立することは(クーンも含めて)誰もが同意している以上，通約不可能性テーゼは疑わしいと言わざるをえないのである．

こうした異論に対して，クーンは通約不可能性テーゼをいくぶん弱めることで応えた．異なるパラダイムのあいだでも部分的な翻訳は可能である．したがって，新旧のパラダイムの支持者どうしであっても，ある程度までなら意思を通わせることができる．必ずしも話がすれ違いに終わるとはかぎらない，と．ただし，完全に客観的な立場にたってパラダイムの選択をすることはできないという主張は譲らなかった．共通言語の欠如に由来する通約不可能性に加えて，彼の言う「判定基準の通約不可能性」も問題になるからだ．すぐれたパラダイムにはどんな特徴が具わっているべきか，どんな問題を解決できるのでなければならないか，問題に対する受け入れ可能な答えはどのようなものか──こうした点については，支持するパラダイムが違えば意見が一致するとはかぎらないというのが判定基準の通約不可能性である．したがって，異なるパラダイムを支持する者のあいだでは，たとえ意味のあるやりとりができたとしても，どちらのパラダイムがすぐれているかについて合意が成立することはない．クーンの言葉で言えば，「どちらのパラダイムであれ，自分の設ける規準はとりあえず満たせても，相手の規準のいくつかは満たせないという結果になるのだ」

クーンの哲学的論拠のふたつめは，いわゆるデータの「理論負荷性」という考え方にもとづいている．これを理解するために，自分が科学者で，対立するふたつの理論のどちらかを選ぼうとしている場面を想像しよう．ここで当然しなければならないのは，どちらを選ぶべきかを決定するデータ探し，あるいはこの問題に決着をつける「決定実験」である．しかし，そのような手続きが可能になるのは，理論からうまい具合に独立したデータが存在する場合，つまり，どちらの理論を奉じようと，科学者としてそのデータを受け入れることができる場合にかぎられる．すでに見たように，論理経験主義者はそうした理論に対して中立のデータが存在し，それを裁きの舞台として，競合する理論に客観的な観点から決着がつけられると信じていた．ところがクーンは，理論に対する中立性など幻想にすぎないと述べたのである．データは必ず理論的前提に汚染されている．どんな理論的信条を抱いているかに関係なく，科学者の誰もが受け入れることのできる「純粋」なデータを抽出するなど，およそ不可能だと．

データの理論負荷性は，ふたつの重要な帰結をクーンにもたらした．第一に，競合するパラダイムのあいだの論争は，「データ」や「事実」に訴えるだけでは解決できないということである．科学者が何をデータや事実と見なすかは，どのパラダイムを受け入れるかに左右されるからだ．そのため，客観的な立場に徹して，ふたつのパラダイムからひとつを選ぶというわけにはいかない．それぞれの主張を評価する中立的な視点など存在しないのである．ふたつめの帰結は，客観的真理の観念そのものが疑問に付されるということだ．理論が客観的に真であるためには，事実と対応している必要がある．ところが，事実自体が理論によって影響を受けるとなると，そのような対応などという観念もほとんど意味を失ってしまう．真理がパラダイムと相対的であるという過激な見解をクーンが抱くようになったのも，こうした理由からである．

なぜクーンは，あらゆるデータが理論負荷的だと考えたのだろうか．この点に関する彼の叙述は必ずしも明快とは言えないが，少なくともふたつの論拠を指摘することができるだろう．ひとつは，知覚が背景的信念に大きく左右されるという考え方である．何が見えるかは，何を信じているかにある程度依存するということだ．熟練の科学者が実験室で精巧な装置を見つめれば，その目には素人とは違ったものが見える．明らかに科学者は，その装置について素人にはない多くの信念をもっているからである．このような背景的信念の知覚に対する影響については，それを裏づけると思われる心理学の実験がいくつもある．もっとも，そうした実験が実際に何を意味するかは議論の分かれるところだが．ふたつめの論拠は，多くの場合，科学者の実験や観察の報告がきわめて理論的な言語で表現されるという点である．たとえば科学者が，ある実験の結果を「電流が銅棒を流れている」という言い方で報告したとする．ところがこのデータ報告は，言うまでもなくかなりの理論を背負い込んでいる．電流についての標準的な信念をもたない科学者には，この報告は受け入れがたいだろう．つまりこの報告は，理論に対して明らかに中立ではない．

こうした論拠の評価については，哲学者のあいだでも意見が分かれている．純粋な理論中立性は実現不可能であるというクーンの意見に賛成する哲学者は，たしかに少なくない．いかなる理論にも加担しないデータ言明という論理経験主義者の理念は，現代の哲学者の大半がしりぞけている．なによりもまず，そうした言明がいったいどのようなものかを誰も明確にできなかったからだ．しかし，だからといってパラダイム・シフトの客観性までが完全に損なわれてしまうとはかぎらない．たとえば，プトレマイオス派の天文学者とコペルニクス派の天文学者が，理論の優劣をめぐって論争しているとしよう．意味のある討論が成立するには，ふたりが合意できる天文学的データがなければならない．けれども，そのようなデータを求めることは，本当に無理な注文なのだろうか．地球と月の夜ごとの相対的位置関係や，日の出の時刻などについては，合意が成り立つはずではないのか．もちろん，コペルニクス派の天文学者が太陽中心説の正しさを前提にデータを記述することにこだわれば，プトレマイオス派の天文学者は異議を唱えるだろう．しかし，コペルニクス派の天文学者がそのようなやり方にこだわる理由はない．「5月14日の日の出は午前7時10分だった」のような言明ならば，地球中心説をとる科学者であろうと太陽中心説をとる科学者であろうと，合意はできる．そうした言明は，どちらのパラダイムの支持者にも受け入れられる程度には，理論による汚染をまぬかれている．対話の成立にとっては，それこそが重要なのだ．

クーンが客観的真理を否定したことについてはどうだろうか．ここでもクーンにしたがう哲学者はほとんどいない．ひとつの問題は，客観的真理の概念を否定する多くの論者の例に漏れず，クーンも有望な対案を明確にできていない点である．真理はパラダイムと相対的であるという過激な見方には，つきつめて考えてみると，容易には理解のしがたいものがある．あらゆる相対主義の教えと一緒で，ある決定的に重要な問題に直面するからだ．「真理はパラダイムと相対的である」という主張そのものは客観的に真なのか，それともそうでないのか，という問題を考えてみよう．もし相対主義を支持する者がこれに「イエス」と答えれば，客観的真理の概念は筋が通っていると認めたことになり，自分自身の立場と矛盾してしまう．もし「ノー」と答えれば，「真理はパラダイムと相対的ではない」と主張する，自分とは逆の立場の相手と争う理由がなくなる．もっとも，こうした論法が相対主義に致命傷を与えると，哲学者の誰もが思っているわけではない．だが，客観的真理の概念を棄て去るといっても，「言うは易く行うは難し」であることを示唆しているのは確かである．科学史とは真理に向かって直線的に進んでいく過程にほかならないという伝統的な見方に対して，クーンが手応えのある異論を提起したことは疑いない．しかし，彼の相対主義的な対案も，簡単に受け入れるわけにはいかないのだ．

クーンと科学の合理性

『科学革命の構造』は過激な調子で書かれている．そこからは，科学の理論変化に関する標準的な哲学の見方をまったくべつのものに置き換えようという思いが伝わってくる．パラダイム・シフトや通約不可能性，データの理論負荷性といった彼の説は，科学を合理的で客観的で累積的な営みとして捉える論理経験主義の見方と全面的に衝突するように見える．「科学とはおおよそ非合理的な活動であり，通常期におけるパラダイムへの教条主義的な固執と，革命期の唐突な「転向経験」を特徴とする」――読者がクーンの主張をこのようなものとして受け取ったのも無理はなかった．

ところがクーン自身は，自分の研究がこのように解釈されることに不満だった．1970 年に刊行された『科学革命の構造』第 2 版の「追記」やその後の著作でクーンは大幅に論調を和らげ，それまで彼が奉じていた観のある過激な見解と距離をおいたのである．彼はこう訴えた．自分の本は科学の合理性に疑いを投げかけようとするものではない．むしろ自分は，科学が実際にどのように展開しているかを，よりリアルに，歴史的に正確に描こうとしたのだ．科学史を蔑ろにすることで，論理経験主義者は科学の営みをあまりに単純なかたちで説明してしまった．自分の狙いはそれを正すことにあったのだ．科学の非合理性を示すのではなく，科学の合理性の中身について，もっと適切な説明を与えることを意図していたのだ――．

クーンの「追記」が意味するのは 180 度の方向転換にほかならな

いと評する者もいた．もとの立場を明確にしたというよりも，むしろそこから退却したのだと．これが公平な評価かどうかは，いまは問わない．しかし，「追記」によって重要な問題がひとつ浮かび上がった．合理性を欠いているかのように科学を描いているという非難に反論するなかで，科学の理論選択に「中立的なアルゴリズムはない」という有名な主張を彼は展開したのである．これはどういう意味だろうか．アルゴリズムとは，具体的な問題の答えを計算してくれる規則の集合をいう．たとえば乗法のアルゴリズムは，任意のふたつの数に適用されたときにその積を教えてくれる規則集合である．したがって，理論選択のアルゴリズムとは，競合するふたつの理論に適用したときどちらを選ぶべきかを教えてくれる規則集合ということになる．伝統的な科学哲学の多くは，陰に陽に，そうしたアルゴリズムがあるという立場にたっていた．論理経験主義の著作には，競合するふたつの理論とデータが与えられれば，「科学的方法の原理」を用いて理論の優劣を決定できるかのような論調がしばしば見うけられる．こうした考え方は，発見は心理学の問題だが正当化は論理学の問題であるという，彼らの信念に暗に含まれるものだった．

科学において理論選択のアルゴリズムは存在しないというクーンの主張は，おそらく正しいだろう．実際，そのようなアルゴリズムを作り出せた者は誰一人いない．理論に何を求めるべきかについて，多くの哲学者や科学者が説得力のある提案をしてきた．単純性，射程の広さ，データとのすぐれた適合度などなど．しかしこうした提案は，クーンもよく承知していたように，真のアルゴリズムとは呼べない．ひとつには，これらの特徴がトレードオフの関係になる場合があるからだ．たとえば理論Ａは理論Ｂよりも単純だが，データとの適合度では理論Bがまさるといったケースである．したがって，競合する理論のどれを選ぶかを決めるには，いくらか主観的判断——科学的常識——も必要になってくる．こうした観点から見れば，新たなパラダイムの採用には主義・信条の要素も絡んでくるというクーンの示唆は，必ずしも過激とは言えないだろう．あるパラダイムが科学者のコミュニティーの支持を獲得する可能性は，それを擁護する人物の説得力次第であるともクーンは強調しているが，これについても同じことが言える．

理論選択のアルゴリズムはないという考え方は，パラダイム・シフトに関するクーンの説明を科学の合理性に対する攻撃として捉えるべきではないことを示唆している．彼の議論は，合理性についてのある特定の見方だけを否定したものと解釈できるからだ．論理経験主義者が信じていたのは，要するに，理論選択のアルゴリズムがあるにちがいないということ，それがなければ科学の変化は非合理的なものになってしまうということだった．これはけっして馬鹿げた見方ではない．合理的行動の範例といえるケースの多くに，規則，すなわちアルゴリズムが見られるからである．たとえば，同じ商品でも，イギリスと日本のどちらで買ったほうが安いかを知りたければ，ポンドを円に換算するアルゴリズムを適用すればいい．それ以外のやり方で問題の解決を図るのは非合理的である．同様に，科学者が競合するふたつの理論のどちらを選ぶべきかを判断するときも，理論選択のアルゴリズムを適用することこそ唯一の合理的な方法であると考えたくなる．したがって，そのようなアルゴリズムが存在しないとなれば——その公算が高そうだが——われわれにはふたつの選択肢が残されることになる．科学の変化は非合理的であると結論するか，上で述べたような合理性の捉え方はあまりに無理難題を要求していると結論するかである．のちの著作で，クーンは後者の選択を支持している[★11]．彼の議論から汲むべき教訓は，パラダイム・シフトが非合理的なものだということではない．パラダイム・シフトを理解するには，もっと緩やかな，プラグマティックな合理性の概念が必要だということである．

クーンの遺産

多くの物議を醸したとはいえ，クーンの思想は科学哲学の姿を一変させてしまった．それは，久しく当然と思われていた多くの前提を疑問に付して，哲学者の目をそれらに向けさせたからでもあるし，伝統的な科学哲学がはじめから無視してかかったさまざまな問題に注意を促したからでもある．クーン以後，科学史を蔑ろにしても哲学者はやっていけるという考え方は，次第に維持しがたいものになったようだ．発見の文脈と正当化の文脈との厳格な区別も同じである．現代の科学哲学者は，クーン以前の研究者とくらべて，科学の歴史的展開にはるかに多くの注意を払うようになっている．クーンの思想の過激な部分には共感しないという人でも，こうした点でクーンの影響がプラスに働いてきたことは認めるだろう．

クーンの仕事がもたらしたもうひとつの重要な影響は，科学が営まれる社会的文脈に注意が向けられるようになったことだ．これは伝統的な科学哲学で顧みられなかった点である．クーンにとって科学とは，その本質において社会的な営みである．科学者のコミュニティーが存在し，共通のパラダイムへの忠誠によってひとつに結ばれていることが，通常科学を進めるための必要条件とされているからである．クーンはまた，学校や大学で科学がどのように教えられているか，若手の科学者がコミュニティーにどのように参入していくか，科学研究の成果がどのようにして出版されるかといった「社会学的」な問題にも少なからぬ注意を払った．クーンの思想が科学社会学者に影響を与えたのも意外ではない．なかでも，1970 年代から 80 年代にかけてイギリスに登場した科学社会学のいわゆる「ストロング・プログラム」運動は，クーンに負うところが大きい．

ストロング・プログラムの中心には，科学を社会の産物として捉えるべきだという思想がある．ストロング・プログラムの社会学者は，この考え方を言葉通りに実践した．科学者の抱く信念はほぼ社会的に決定されると考えたのだ．たとえば，科学者がなぜある理論を信じているのかを説明するのに，彼らは科学者をとりまく種々の社会的・文化的背景を引き合いに出した．科学者自身が挙げる理由だけでは，説明として十分ではないというのである．ストロング・プログラムは，クーンからいくつものテーマを借用している．データの理論負荷性，社会的な営みであることを本質と見なす科学観，理論選択に客観的なアルゴリズムはないという考え方などだ．しかし，ストロング・プログラムの社会学者はクーンよりも過激だったが，彼ほど慎重ではなかった．彼らは真理や合理性の概念をイデオロギー的に信用ならないとして公然としりぞけ，伝統的な科学哲学に強い疑いの目を向けた．その結果，科学哲学者と科学社会学者のあいだには少なからぬ緊張関係が生まれ，今日もまだそれは解消されずにいる．

クーンの仕事の影響はさらに遠くまで及び，人文社会科学における社会構築主義の興隆にも一役買っている．ある種のもの，たとえば人種のカテゴリーなどは「社会的構築物」であり，人間の精神活動を離れて客観的に存在する類のものとは異なると考えるのが社会構築主義である．クーンが科学の営まれる社会的文脈を強調し，科学理論が「客観的事実に対応している」ことを否定した点をふまえれば，彼の著作が，科学は「社会的構築物」であるというメッセージを伝えるものとして読まれたわけも容易に納得がいく．しかし，これはある意味で皮肉と言うべきだろう．ふつう，科学を「社会的構築物」と考える人びとは反科学の姿勢をとっており，現代社会で科学に付与される権威に対して，ことあるごとに異を唱えているからだ．ところがクーン自身は，科学を断固として擁護する側にいた．論理経験主義者と同じく，彼もまた現代科学を賛嘆すべき知的業績と見なしたのである．パラダイム・シフト，通常科学と異常科学，通約不可能性，理論負荷性という彼の説は，科学への攻撃や批判ではなく，この営為をいっそう深く理解する一助となることを意図したものだったのだ．

6　物理学・生物学・心理学における哲学的問題

これまで検討してきた推論，説明，実在論，科学の変化などの問題は，いわゆる「科学哲学一般」に属するものである．これらの問題は，化学や地質学といった特定の分野にのみ関係するものではなく，科学研究の一般的な性質に関わるものである．しかし，個別の科学に特有の興味深い哲学的問題もある．これらの問いは，通常，哲学的な考察による面と，経験的事実による面をもっており，それゆえに興味深い．この章では，このような問題を物理学，生物学，心理学の各分野からひとつずつ検討することにする．

絶対空間に関するライプニッツとニュートンの論争

最初の話題は，ゴットフリート・ライプニッツ(1646-1716)とアイザック・ニュートン(1643-1727)という17世紀を代表するふたりの傑出した科学的知性の持ち主のあいだで繰り広げられた，空間と時間の本質をめぐる論争である．ニュートンは『自然哲学の数学的原理』のなかで，いわゆる「絶対」空間の概念を擁護した．この考え方によれば，空間は物体どうしのあいだの空間的関係を超えでた「絶対的」な存在である．ニュートンは，空間とは，天地創造の際に神が物質宇宙を入れた３次元の容器であると考えた．これは，空間は物質が存在する前に存在していたことを意味する．それは，シリアルを中に入れる前から，シリアルの箱みたいな容器が存在するのと同じである．ニュートンによれば，宇宙とシリアルの箱のようなふつうの容器との唯一の違いは，後者が有限の次元であるのに対し，宇宙はあらゆる方向に無限に広がっていることである．

ライプニッツはニュートンの哲学に多くの点で反対したが，この絶対主義的な空間観に対しても強く異を唱えた．ライプニッツは，空間は物体どうしのあいだの空間的関係の総体にすぎないと主張した．空間的関係とは，たとえば「〜の上」，「〜の下」，「〜の左」，「〜の右」などのような，物体が互いに位置づけ合う関係のことである．この「関係論的」な空間概念は，物体が存在する以前には空間が存在しなかったことを意味する．ライプニッツは，空間は神が物質的宇宙を創造したときに存在するようになったのであって，あらかじめ存在していて物体で満たされるのを待っていたのではないと主張した．したがって，空間は何かを入れる容器として考えることも，またそもそも存在物として考えることもできない．ライプニッツの考え方は，次のようなアナロジーによって理解することができる．法律上の契約は，たとえば，家の買い手と売り手というふたりの当事者の関係で成り立っている．当事者の一方が死亡すれば，その契約は消滅する．だから，契約が売り手と買い手の関係とはべつに存在するというのはおかしな話である．契約とは，あくまでこの関係のことなのだ．同様に，空間は，物体どうしのあいだの空間的関係を超えでたところにあるものではないのだ．

ニュートンが絶対空間の概念を導入した最大の理由は，相対運動と絶対運動を区別することにあった．相対運動とは，ある物体のべつの物体に対する運動である．相対運動に関するかぎり，ある物体が「本当に」運動しているかどうかを問うことは無意味であり，他の何らかの物体に対して運動しているかどうかを問いうるだけである．たとえば，ふたりの人が縦に並んで一直線の道路をジョギングしているとしよう．道ばたで見ている人からすれば，ふたりとも運動状態にある．彼らは運動により刻一刻と遠ざかっているのだ．しかし，ジョギングをしている人どうしは，運動状態にはない．同じ方向に同じ速さで走っているかぎり，ふたりの相対的な位置はまったく変わりないのだ．つまり，ある物体があるものに対しては相対運動していても，べつのものに対しては静止しているということがありうる．

ニュートンは，相対運動だけでなく，絶対運動も存在すると考えた．常識的に考えても，この考え方は正しい．たとえば，ハンググライダーと地上の観測者のように，相対運動をするふたつの物体を想像してみよう．ここで相対運動は対称的である．ハンググライダーが地上の観測者に対して相対的に運動しているように，観測者もハンググライダーに対して相対的に運動している．しかし，直観的には，「本当に」運動しているのは観察者なのか，それともハンググライダーなのか，という問いにはたしかに意味がある．もしそうだとすれば，絶対運動という概念が必要になる．

しかし，絶対運動とはいったい何であろうか．ニュートンによれば，それは絶対空間に対する物体の運動のことである．ニュートンは，任意の時点において，あらゆる物体は絶対空間の中で特定の位置を占めると考えた．ある物体が時間とともに絶対空間内の位置を変化させれば，それは絶対運動していることになり，そうでなければ，絶対静止していることになる．つまり，相対運動と絶対運動を区別するためには，物体どうしの関係を超えた存在物として空間を考える必要があるのだ．ニュートンの推論は，すべての運動は何かに相対的でなければならないという重要な前提の上に成り立っていることに注意してほしい．相対運動とは，べつの物体と相対的な運動であり，絶対運動とは，絶対空間そのものと相対的な運動である．それゆえ，ある意味では，ニュートンにとっては絶対運動でさえも「相対的」なのである．事実上，ニュートンは，絶対的であれ相対的であれ，運動状態は，物体についての「根本的な事実」ではありえず，その物体と何かべつのものとの関係についての事実でしかありえないとしている．この何かべつのものが，べつの物体であることもあれば，絶対空間であることもあるわけである．

ライプニッツは，相対運動と絶対運動の違いを認めたが，後者を絶対空間に対する運動として説明することは否定した．彼は絶対空間という概念を辻褄が合わないものだと考えたからである．彼はこの見解に対して多くの論拠を持っていたが，その多くは神学的なものだった．哲学的な観点から見ると，ライプニッツのもっとも興味深い主張は，絶対空間が，彼が「不可識別者同一の原理」と呼ぶものと矛盾する，というものであった．ライプニッツはこの原理を疑う余地のない真理とみなしていたので，絶対空間という概念を否定したのである．

不可識別者同一の原理とは，ふたつの物体が互いに識別できないなら，それらは同一である，つまり，実際にひとつの物体であるとする原理である．ふたつの物体が識別できないというのは，何の違いも見出せないということであって，まったく同じ属性を持っているということである．それゆえ，もし不可識別者同一の原理が正しいとすれば，真に区別できるふたつの物体は，何らかの属性において違いがあるはずである．不可識別者同一の原理は直観的にきわめて説得力がある．たしかに，すべての属性を共有するふたつの異なる物体の例を見つけるのは容易ではない．たとえ大量生産された工場製品であっても，通常は無数の点で異なっている．不可識別者同一の原理が一般に正しいかどうかは，哲学者がいまでも議論している複雑な問題である．その答えは，何をいったい「属性」と呼ぶかにもよるし，また，量子物理学の難しい問題にも左右される．しかし，さしあたって関心があるのは，ライプニッツがこの原理をどのように使ったかである．

ライプニッツは，ニュートンの絶対空間論と不可識別者同一の原理とのあいだの矛盾を明らかにするために，ふたつの思考実験を行っている．まず，ライプニッツは，まったく同じ物体を含むふたつの異なる宇宙があるとしてみようと言う．宇宙1では，それぞれの物体は絶対空間の特定の場所を占めている．宇宙2では，それぞれの物体は絶対空間の異なる場所(たとえば東に2キロメートル離れた場所)に移動している．このふたつの宇宙を区別する方法は存在しない．なぜなら，ニュートン自身が認めているように，われわれは絶対空間における物体の位置を観測することができないからである．われわれが観察できるのは，物体どうしの相対的な位置だけであるが，それはどちらの宇宙でも同じなのである．われわれが住んでいるのが宇宙1なのか宇宙2なのかは，観測や実験によって明らかにすることはできないであろう．

ライプニッツの第二の思考実験もこれと似た内容である．ニュートンにとって，ある物体は絶対空間の中を運動し，べつの物体は静止しているということを思い起こしておこう．すべての物体は，それぞれの時点で，一定の絶対速度を持っているわけである．(速度とはある一定の方向への速さのことであるから，物体の絶対速度とは，絶対空間内をある特定の方向に進む速さのことである．）ここでいま一度，まったく同じ物体を含むふたつの異なる宇宙があるとしてみよう．宇宙 1 では，それぞれの物体は特定の絶対速度を持っているが，宇宙 2 では，それぞれの物体の絶対速度が一定量(たとえば時速 300 キロメートル)だけ一定方向に加速されている．この場合も，われわれはこのふたつの宇宙を区別することはできないであろう．なぜなら，ニュートンが認めたように，われわれは物体が絶対空間を基準としてどれだけの速さで運動しているかを観察することはできず，物体どうしが相対的にどれだけの速さで運動しているかを観察するだけであって，それはどちらの宇宙でも同じだからである．

どちらの思考実験においても，ライプニッツは，ニュートン自身がけっして見分けることができないと認めているふたつの宇宙を描き出している．それらは完全に識別不能である．しかし，不可識別者同一の原理によれば，このふたつの宇宙は実はひとつであることになる．それゆえ，不可識別者同一の原理が真であれば，ニュートンの理論は誤った帰結を導いていることになる．ひとつの事物しか存在しないのに，ふたつの事物があることになるからである．このようなことから，ニュートンの理論は誤りである，とライプニッツは主張する．

要するに，ライプニッツは，絶対空間は観測上の差異をもたらさないので，空虚な概念なのだと主張しているのである．もし，絶対空間における物体の位置も絶対空間に対する速度も検出することができないのならば，いったいなぜ絶対空間を信じたりするのだろうか．ライプニッツは，科学において観測不能な存在を仮定するのは，その存在

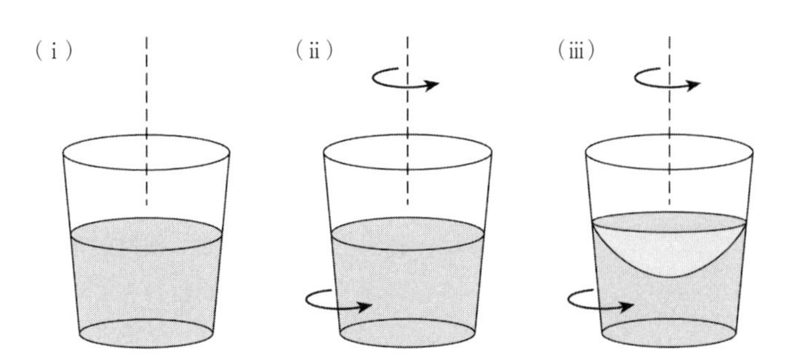

図7　ニュートンの「回転バケツ」の実験．段階(i)では，バケツと水は静止している．段階(ii)では，バケツは水に対して回転している．段階(iii)では，バケツと水は一緒に回転する．

が観測の上で検出できる違いをもたらす場合にかぎるという，きわめて妥当な原則に訴えているのである．

しかし，ニュートンは，絶対空間が実際に観測上の効果を持つことを示しうると考えた．これが，彼の有名な「回転するバケツ」の議論である．底に穴を開け，ひもで吊り下げた水の入ったバケツがあるとしよう(図7)．はじめ，水はバケツに対して静止している．次に，ひもを何回かねじってから放す．ひもがほどけて，バケツは回転し始める．最初はバケツの中の水は静止しており，水面は平らである．このときバケツは水に対して相対的に回転している．しかし，しばらくするとバケツの運動が水に伝わり，バケツと連動して水も回転し始め，やがてバケツと水の回転速度が同じになって両者は再び互いに対して相対的に静止状態になる．経験によれば，水の表面は端が上向きにカーブしている．

では，なぜ水面は凹型になっているのだろうか，とニュートンは問う．水の回転が関係していることは明らかである．しかし，回転は運動の一種であり，ニュートンにとって物体の運動とはつねに何かべつのものに対する相対的な運動であった．そこで問われなければならないのは，水は何に対して回転しているのかである．明らかにバケツに対してではない．バケツと水は一緒に回転していて，相対的な静止状態にあるからである．ニュートンは，水は絶対空間に対して相対的に回転しており，そのために水の表面が凹型にカーブしているのだと主張する．つまり，絶対空間には観測上に現れる効果があるというのである．

ニュートンの主張には明らかなギャップがあると思われるかもしれない．なぜ水がバケツに対して回転していないと認めると，絶対空間に対して回転しているはずだと結論づけられるのだろうか．水は実験をしている人間に対しても，地表に対しても，恒星に対しても回転しているのだから，そのうちのどれかが水面の湾曲を引き起こしていると言ってもよいのではないだろうか．しかし，ニュートンはこうした議論に対しては簡単な答えを示している．回転するバケツの他には何もない宇宙があるとしよう．そのような宇宙では，水の表面が凹型になっていることを，べつの物体に対する水の回転で説明することはできない．なぜなら，そうしたべつの物体は存在しておらず，先ほどの例と同じように，水はバケツに対しては静止しているからである．水が相対的に回転しているといえる相手としては，絶対空間しかもはや残されていない．だから，水面が凹型になる理由を説明できないという事態を避けるなら，われわれは絶対空間を信じなければならない．

要するに，ニュートンが言っているのは，物体の絶対空間に対する位置と速度を検出することはできないが，絶対空間に対する加速度は検出することができる，ということである．物体の回転運動は，たとえ回転速度が一定であっても，定義により加速度運動だからである．物理学では，加速度は速度の変化率と定義され，速度は一定方向の速さであるからだ．回転する物体はたえず運動の方向を変化させているので，その速度は一定ではなく，したがって加速度が生じていることになるのである．水面が凹んでいるのは，加速運動による慣性効果の一例である．飛行機が離陸するときに座席の後ろに押される感じもこの効果の一例である．ニュートンは，慣性効果を説明できるのは，その効果を受ける物体の絶対空間に対する加速度だけであると考えた．加速運動する物体しか存在しない宇宙では，加速度が相対的になりえるものとしては，絶対空間しかありえないのである．

ニュートンの議論は強力ではあるが，決定的なものではない．なぜなら，べつの物体が存在しない宇宙でバケツの回転実験を行った場合に，ニュートンは，水面が凹型に湾曲するであろうことをどうやって知ることができるのかという疑問が生じるからである．ニュートンは，この世界で見られる慣性効果は，べつの物質がない世界でも同じであるとたんに仮定しているにすぎない．

これは明らかにきわめて重大な仮定である．そして，多くの人びとがニュートンのこの仮定を疑問視している．だから，ニュートンの議論は，絶対空間の存在を証明するものではない．むしろそれは，ライプニッツを擁護する人に対して，慣性効果について代わりとなる説明をしてみろという課題を突き付けているのである．

ライプニッツもまた，絶対空間を持ち出すことなく，絶対運動と相対運動の違いを説明するという問題に直面している．この問題についてライプニッツは，「変化の直接的な原因が物体自体にあるとき」，物体は真の運動，あるいは絶対運動をすると述べている．前に述べたハンググライダーと地上の観測者の例を思い出してみよう．どちらも相手に対して相対運動をしている．ライプニッツは，どちらが「本当に」運動しているかを判断するためには，変化(すなわち相対運動)の直接的な原因がハンググライダーにあるのか観察者にあるのかを決める必要があると言うだろう．絶対運動と相対運動を区別するためのこの提案では，絶対空間への言及はすべて回避されているが，明確なものだとは言いがたい．ライプニッツは，「変化の直接の原因」が物体のなかにあるとはどういう意味なのかを，きちんと説明していない．しかし，物体の運動は，相対的であれ絶対的であれ，その物体が何か他のものと関係しているという事実でしかありえないというニュートンの仮定を否定する意図があったのかもしれない．

絶対的か関係的かという論争がなかなか消え去らないのも興味深いところだ．ニュートンの空間論は彼の物理学と密接に結びついており，ライプニッツの見解はニュートンの見解に対する直接的な反発であった．だから，17 世紀以降の物理学の進歩によって，この問題は解決されたと思うかもしれない．しかし，そうはならなかった．かつては，アインシュタインの相対性理論によってライプニッツに軍配が上がったという見方が強かったが，近年，この見方は次第に批判されつつある．ニュートンとライプニッツの最初のやりとりから 300 年以上経ったいまも，この論争は続いている[★12]．

生物種とは何か

科学者はしばしば，自分たちが研究している対象を一般的な種類に分類したいと考える．地質学者は，岩石を形成のしかたによって，火成岩，堆積岩，変成岩に分類する．化学者は，元素の物理的および化学的属性によって，金属，金属化合物，非金属に分類する．分類の主な働きは，情報を伝えることである．化学者が「これは金属だ」と言えば，その元素がどのような性質を持つかについて多くのことがわかる．分類は，いくつかの興味深い哲学的な問題を提起する．その多くは，どのような対象の集合であっても原理的に多くの異なる方法で分類できるという事実に由来している．では，そのなかからどのように選択すればよいのだろうか．「正しい」分類方法があるのだろうか，それともすべての分類方法は究極的には恣意的なものなのだろうか．このような疑問は，ここで取りあげる生物学的分類との関連では，とくに差し迫ったものとなっている．

生物学的分類の基本単位は「種」である．伝統的な分類学では，各生物はまず，二名法と呼ばれるふたつの部分で構成されるラテン語名で示される種に分類される．あなたはホモ・サピエンス(*Homo sapiens*)に，あなたのペットの猫はイエネコ(*Felis catus*)に，そしてあなたの家の食料庫のネズミはハツカネズミ(*Mus musculus*)に属する．そして，種は「上位分類群」(属，科，目，綱，門，界)に階層的に配置される．たとえば，ホモ・サピエンスはホモ属に属し，ヒト科，霊長目，哺乳綱，脊索動物門，動物界に属する．この分類法はリンネ式と呼ばれ，これを考案した18世紀のスウェーデンの博物学者カール・リンネ(1707-78)にちなんで名づけられ，現在でも広く用いられている．

ここでは，分類学者の仕事の第一段階である，生物をどのようにして種に割り当てるかに焦点を当てることにする．これは一見するほど単純なことではない．それは，生物学者たちが，種とは何か，種を同定するためにどのような基準を用いるべきかについて同意していないことが主な理由である．実際，生物学上の種に関する競合する定義，すなわち「種の概念」が現代の生物学にはあふれている．こうした合意の欠如を「種問題」と呼ぶこともある．

種の問題があると聞いて驚かれるかもしれない．素人目には，生物を種に割り当てることには何の問題もないように思えるからだ．というのも，何気なく観察しているだけでも，生物のすべてが同じでないことは明らかだからだ．巨大なものもあれば小さなものもあり，動くものもあれば動かないものもあり，何年も生きるものもあれば数時間しか生きられないものもある．また，この多様性は連続的なものではなく，群れをなしていることも明らかである．生物は，離散的な数のタイプや種類に分類されるように思われるが，その多くは幼い子どもでも認識することができる．3歳の子どもは，たとえ品種が違っても，公園にいる2匹の動物を，両方ともイヌだと自信を持って判断することができる．そして生物学者は，その子どもの言うことが正しいことを確認する．どちらの動物も，たしかに *Canis familiaris* という同じ種に属しているのである．このように，生物のあいだには客観的な区分があり，それを発見するのが生物学者の仕事であると考えるのはごく自然なことである．この考え方では，種の境界は，生物学者によって世界に押し付けられるのではなく，発見されるのを待っている世界の「すぐそこ」にあるのだ．生物学者でない人びとの多くは，この考え方を何の疑問もなく受け入れているように思われる．

この常識的な視点は，アリストテレス以来一般に受け入れられてきた「自然種」(natural kind) という哲学説と一致している．この学説によれば，対象を種類(kind)に分類する方法は，人間の利害を反映したものではなく，世界に実際に存在する区分と対応するという意味で自然なものである．化学元素や化合物は自然種の典型例である．たとえば，宇宙に存在する純金の試料を考えてみよう．これらの試料は，構成する原子の原子番号が79であるという基本的な点で共通しているため，「金」という種類になる．これに対して，黄鉄鉱（愚者の黄金とも呼ばれる）は金とは似ているが，鉄と硫黄という異なる種類の原子が集まってできた化合物であるため，「金」という種類には属さない．科学的実在論を支持する哲学者は，科学の仕事の一部は，その領域における自然種を発見することであるとしばしば主張する．

種（species）が生物学における自然種であるという考え方は魅力的ではある[★13]．しかし，いくつもの難題に直面している．そのひとつは，何を種とみなすかについて，恣意的な要素が含まれる可能性があることである．生物学者がしばしば，種を品種，変種，亜種といったグループ分けをしていることに注目しよう．たとえば，イヌワシ（*Aquila chrysaetos*）は通常6つの亜種に分けられ，そのなかにはヨーロッパイヌワシ，アメリカイヌワシ，ニホンイヌワシが含まれる．亜種という分類を導入したのは，個体群によっては互いに異なることが明らかにわかるが，別種とみなすほどではない，という理由からである．しかし，その境界線はどのように引けばいいのだろうか．ダーウィンは『種の起源』のなかで，この点について興味深い議論を展開し，種，亜種，変種のあいだには明確な境界線は存在しないと論じている．彼はこう結論づけた．「私が種という言葉を，便宜上，互いによく似た個体の集合に対して恣意的に与えたものと考えていることはおわかりいただけるでしょう．この言葉は，より曖昧で流動的な形態に与えられる変種という言葉と，本質的に異なるものではないのです[★14]」

ある個体の集合を種とみなすかどうかは恣意的であるというダーウィンの指摘は驚くべきもので，たしかに自然種としての種の考え方にはそぐわない．しかし，ダーウィンは正しいのだろうか．20 世紀には，多くの進化生物学者が，生殖的に隔離されているという理由から，種は恣意的なグループ分けではなく，自然界における実在の単位であると確信するようになった．つまり，ある種のなかの生物どうしは交配することができるが，他の種の生物とは交配できないということである．生殖的隔離を理由に生物種を定義することは，ドイツの生物学者エルンスト・マイヤーが提唱したもので，「生物学的種概念」と呼ばれるようになった．生物学的種概念の支持者は，変種と種の区別は恣意的であるというダーウィンの主張を否定している．ヨーロッパイヌワシとアメリカイヌワシは原理的には交配して生存可能な子孫を残すことができるので，(交配することがまれであるにしても)別種ではなく変種であり，マダラワシとイヌワシは交配が不可能であるため，別種であるというのが彼らの見解である．

生物学的種概念は現代の生物学で広く使われているが，限界もある．生物学的種概念は有性生殖を行う生物にのみ適用されるが，ほとんどの単細胞生物や，一部の植物や菌類，そして少数の動物など，多くの生物は無性生殖を行う．つまり，生物学的種概念はせいぜい種問題に対する部分的な解決策を与えるにすぎないのである．さらに，生殖的隔離も必ずしも揺るぎない根拠ではない．隣接する場所に生息する近縁種は，しばしばその生息域が交わる「ハイブリッドゾーン」を持つ．このゾーンでは，わずかながらも交雑が起こり，繁殖力のある子孫が作られるときもままあるとはいえ，ふたつの種はそれぞれ異なる個性を保っている．ハイブリッドゾーンは，ひとつの種がふたつに分岐す

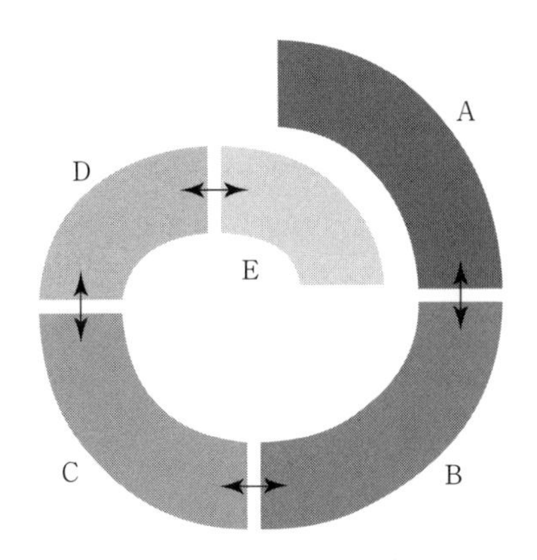

図８　環状種．両方向の矢印は交雑を示す．

る過程で生じることが多い．とくに植物では，明らかに異なる種に属する生物間の交雑はきわめて一般的である．

生物学的種概念にとってさらに問題なのは，環状種という現象である．これは，ある種が地理的に環状に配置された若干数の地域個体群からなる場合に起こる現象である．各個体群はすぐ隣の個体群と交配することができるが，連鎖の末端にある個体群とは交配することができない．たとえば，個体群ＡはＢと，ＢはＣと，ＣはＤと，ＤはＥと交配できるが，ＡとＥは交配できないとしてみよう(図8)．環状種は生物学的種概念にとって一種のパラドックスとなる．なぜかというと，ＡとＥは同じ種に属するのか，属さないのかを考えてみてほしい．この両者は交配ができないので，答えは「ノー」であるはずである．しかし，ＡとB，ＢとC，ＣとD，ＤとＥは交雑基準によれば同種であるから，ＡとＥは同種でなければならないのだろうか．このような状況を，生物学的種概念上ではどう言っていいのか，まったく明らかではない．つまり，何が種として数えられるかについては恣意的な要素があるというダーウィンの主張が，生殖的隔離に注目することで完全に無効になったわけでもないのである．

種の問題の根底にあるのは，進化そのものである．現代の生物学では，ダーウィンに従って，すべての生物は共通の祖先に由来すると説いている．しかし，伝統的なリンネの分類学は，創造説が支配的な世界観であった時代に生まれたものである．神がそれぞれの種をべつべつに創造したとする創造説的な考え方では，すべての生物は一義的に何らかの種に分類されうると考えるのが自然である．しかし，進化論的な考え方では，そのようなことを期待する理由などない．進化は緩やかなものであり，祖先の種が子孫の種を生み出すまでのプロセスは，通常何千年もかかるからである．多くの場合，ひとつの種が徐々にふたつに分岐し，ふたつの子孫種間の生殖のつながりが最終的に断ち切られるのである．したがって，過渡的な形態や，種としての位置づけが不明確な個体群が存在することは，あくまでも予想されうることなのである．さらに，種についての単一の定義が，バクテリアから多細胞動物に至るすべての生物に通用すると考える理由はない．

また，進化論は，個体間の変異が広範に存在する可能性が高いことも教えてくれる．変異は自然選択を促進する原動力だからである．もし，ある種に属する生物に変異がなければ，自然選択は起こりえないのである．このことは，ある生物種のメンバーが，メンバーでないものとは異なる何らかの本質的な特徴，たとえば遺伝的特性を持っていなければならないという常識的な考えを根底から覆すものである．この常識は，「自然種」という種の捉え方の一部であり，生物学者以外の多くの人が信じていることである．しかし，経験的には，典型的な種の内部での個体間には広範な遺伝的変異があり，それが近縁種間の遺伝的変異を上回ることすらある．このことは，生物学者がある生物のDNA配列を決定することで，その生物がどのような種に属するかを知ることができる場合が多いということを否定するものではない．しかし，こうしたことはつねに可能というわけではないし，また，これがある種のメンバーが固定的な「遺伝的本質」によって決定されていることを示すわけでもない．

したがって，進化は分類学上の作業をかなり複雑にしている．とはいえ，作業は続行されなければならない．生物を種に分けることは，事実上必要不可欠だからである．たとえば，鳥類学者が珍しい鳥に出会ったら，まず知りたがるのはその鳥が何という種であるかだろう．なぜなら，その鳥の特徴，行動，生態に関する貴重な情報が得られるからである．この状況を雄弁に語るのがイギリスの生物学者ジョン・メイナード・スミスである．「過去から現在までのすべての生物を，中間種が存在しない明確なグループに分けようとする試みは，ことごとく失敗する運命にある」と彼は書いている．「分類学者は，自らの任務が実際的に必要であることと理論的に不可能であることとのあいだの矛盾に直面している．[★15]」それゆえ，実際には生物学者は，種を明確に定義された種類であるかのように扱い続けているものの，それが現実への近似にすぎないということを承知しているのである．

1960年代後半以降，進化生物学は，分類は進化と「整合的」な方法で行われるべきだという考え方に次第に収束していった．これは，ドイツの昆虫学者ヴィリー・ヘニッヒによって創設された「系統分類学」として知られる運動の中心的なモチーフであった．つまり，ある共通の祖先の子孫だけを含む，単系統性の生物学的グループのみを本

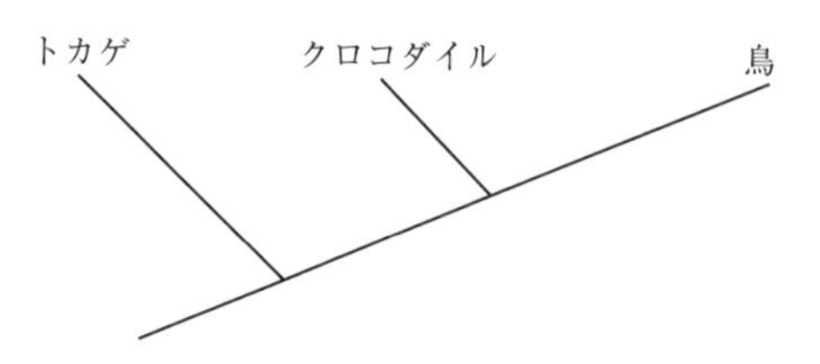

図9　トカゲ，クロコダイル，鳥の系統関係

当のグループと認めるというのが，その主要な考え方であった．たとえば，爬虫綱(いわゆる爬虫類)のような伝統的な分類群の多くは，単系統でないことが判明している．図9にあるように，さまざまな爬虫類の共通の祖先となるものが鳥類の祖先でもあったためである．つまり，系統分類の支持者は，爬虫類は本当の意味での分類群ではなく，正しい分類学にこの概念の入る余地はないと主張しているのである．系統分類学は，種よりも上位の分類群をどのように区切るかに主眼が置かれている．しかし，単系統性の基準は個々の種に適用することができ，「系統学的種概念」として知られているものをもたらす．この概念は，事実上，ある種に属する生物はべつの種のメンバーよりも互いに近縁であるべきだという直観的な考えを正確に定式化しようとするものである．

哲学的な観点から見ると，系統的アプローチの意義は，ふたつの生物が本質的な類似性によってではなく，祖先を共有しているために同じグループ(種または上位分類群)に属するという含みがあることである．このことを具体的に説明するために，ある思考実験をしてみよう．たとえば，科学者が火星で，地球上の生物に由来するのではないが，ふつうのイエバエとまったく見分けがつかない生物を発見したとする．(もちろん，そんなことはほとんどありえないが，論理的には可能である．)

火星で採取した標本はイエバエのように見え，地上のイエバエと交配することができ，どんな遺伝子検査でも本当のイエバエと見分けがつかないとする．これはイエバエなのだろうか．もし種が自然種であるとするならば，その答えはおそらく「イエス」であろう．しかし，系統的な見方をすれば，答えは「ノー」なのだ．イエバエという種(*Musca domestica*)であるためには，その生物がどのような本質的な特徴を持っているかには関係なく，適切なパターンの祖先を持つ必要がある．

このことは，1970年代に生物学者マイケル・ギゼリンと哲学者デイヴィッド・ハルが行った興味深い提案と一致する．彼らは，生物学的な種は，従来前提されていたような種類やタイプとしてではなく，むしろ時空間に広がり多数の構成要素からなるひとつの個体とみなされるべきであると主張した．生物の個体のように，生物種(species)はある特定の場所と時間に誕生し，有限の寿命を持ち，そして絶滅する．これに対して，純粋種(genuine kind)は，時空間的な制約を受けない．たとえば，金を考えてみると，宇宙のどこにある物質でも，原子番号79であれば，その起源に関係なく金とみなされる．だから，原理的には，宇宙のすべての金を破壊して，何年か後にまた合成することもできる．しかし，生物種はこのようなものではない，とギゼリンとハルは主張した．いったん絶滅した種は，論理的にはけっして復活することはない．それは私たちがいったん死んでしまうと，もはや存在し続けることができないのと同じであるというのである．

種は個体であるという考え方は，はじめは奇妙に聞こえるが，よく考えてみると理にかなっている．たしかに，種は，その構成部分，つまり種に属している生物が，ひとつに融合していないという点で，

「ふつうの」個体とは異なっている．しかし，この違いはかなり表面的なものである．コロニーを構成しているアリたちも，1個のものにはなっていないが，われわれはコロニーを個体とみなして満足している．種を個体として扱うことには，明確な利点がある．ひとつは，系統分類の原則によく合致していることである．もうひとつは，種は自然界に「実在する」単位であって，恣意的な集団ではないという広く受け入れられた直観と，種内の遺伝的変異が広く存在し，種が「遺伝的本質」を持ってはいないという事実とを調和させることができることである．これらの事実は，種を複雑な個体とみなすなら納得がいくものであるが，自然種とみなすと，しっくりこないのである．

心はモジュール化されているか

人間は多様な認知タスクをしばしばほとんど意識しないままに行うことができる．これは驚くべき事実である．「認知タスク」には，クロスワードパズルを解くようなことだけではなく，道路を安全に横断する，ボールをキャッチする，他人の言葉を理解する，他人の顔を認識する，などの日常的なタスクも含まれる．このようなタスクは，あまりにも身近であるため，当たり前のように行われているが，われわれの能力は実に驚異的である．平均的な人間と同じようにこうしたタスクのほとんどをこなすことができるロボットは，多額の費用を投じても，存在していない．われわれの脳は，複雑な認知タスクを最小限の努力で行うことを可能にしているのである．それがどうして可能なのかを説明することは，認知心理学と呼ばれる学問分野の重要な一部分である．

われわれが注目するのは，人間の心のアーキテクチャーに関して認知心理学者のあいだで続いている論争である．ある見方によれば，人間の心は「汎用的な問題解決装置」である．つまり，心には一般的な問題解決のスキル，すなわち「一般知能」のセットが具わっていて，それを無限に多くの異なるタスクに適用しているというのである．ビー玉を数えるのも，どのレストランで食事をするかを決めるのも，外国語を学ぶのも，同じ認知能力のセットであり，これらのタスクは，その人の一般知能の異なった適用例を表しているというわけである．しかし，べつの見方によると，人間の心には多くの特化したサブシステムやモジュールがあって，それぞれは特定のタスクを実行するために設計されていて，それ以外のことは何もできないとされる．これは，「心のモジュール仮説」として知られている．

モジュール性のひとつの例は，言語学者ノーム・チョムスキーが1960年代に行った言語習得に関する研究にみられる．チョムスキーによれば，子どもが言語を身につけるのは，大人の会話をそばで聞き，「一般知能」を使ってその言語の規則を把握することによるのではない．子どもが触れる言語データはあまりにも限られているし，子どもによっても大きく異なっているのに，すべての子どもが同じ年齢までに言語を習得するわけだから，こうしたことは不可能なのだというのである．チョムスキーは，すべての子どもの脳のなかに「言語習得装置」と呼ばれる明らかなモジュールが存在すると主張した．この装置は自動的に作動し，そのただひとつの機能は子どもが言語を獲得できるようにすることである．あらゆる人間が従う「普遍文法」原理をコード化したこの装置のおかげで，しかるべき刺激のもとに置かれた子どもは，どんな言語であれ，その文法を学ぶことができるというのである．チョムスキーは，言語習得がモジュール化された能力であるという主張に対してさまざまの印象的な証拠を提供した．たとえば，「一般知能」が低い人でも，たいていは完璧に話せるようになるという事実がそれである．

モジュール仮説を支持するもっとも説得的な証拠のいくつかは，脳障害患者の研究から得られている．これは「脳障害研究」として知られている．人間の心が汎用的な問題解決装置であるならば，脳の損傷はあらゆる認知能力に多かれ少なかれ影響を及ぼすと予想される．しかし，実際にはそうではない．それどころか，脳の損傷によって，ある認知能力は損なわれるものの，他の認知能力は維持されることが多い．たとえば，ウェルニッケ野と呼ばれる脳の一部を損傷した患者は，流暢で文法的に正しい文章を作ることはできても，言葉を理解することができなくなる．このことは，文の生成と理解にはそれぞれべつのモジュールが存在することを強く示唆している．また，脳を損傷した患者では長期記憶は失われるが(健忘症)，短期記憶や会話・理解力は損なわれない．この事例もまた，モジュール説には有利に，心を汎用的な問題解決能力としてとらえる考えには不利な材料になるように思われる．

この種の神経心理学的証拠は，説得力があるものの，モジュール性の問題を決定的に解決するものではない．まず，このような証拠の数は比較的かぎられている．認知能力にどのような影響があるかを見るだけのために，人の脳を意のままに損傷することは明らかに不可能だからである．また，科学ではよくあることだが，データをどう解釈すべきかという点でも意見が分かれている．脳障害患者に見られる認知機能低下のパターンは，モジュール性を示唆するものではない，という意見もある．たとえ心が汎用的な問題解決能力を持っていて，モジュール化されていなくても，脳の損傷によって異なる認知能力が異なった影響を受ける可能性はある，と彼らは主張している．つまり，脳障害研究の成果から単純に心の構造を読み取ることはできないのだ．脳障害研究は，せいぜいのところ心のアーキテクチャーに対して正確さに欠ける証拠を提供するだけなのである．

モジュール性についての最近の関心の多くは，アメリカの哲学者・心理学者であるジェリー・フォーダーの研究に負うものである．1983年に出版された『精神のモジュール形式』という本のなかで，フォーダーはモジュールとは何かについての新しい説明と，どの認知能力がモジュールになっていて，どの認知能力がそうでないかについての興味深い考えを述べている．フォーダーは，心のモジュールにはいくつもの際立った特徴があるとする．そのうちとくに重要なのは(ⅰ)領域特異性をもつこと，(ⅱ)動作が強制的であること，(ⅲ)情報的に遮蔽されていること，この3つである．モジュールでない認知システムには，これらの特徴がない．そして，フォーダーは，心は全体ではなく部分的にモジュールになっているとする．ある認知タスクについてはある機能に特化したモジュールで解決し，他のタスクについては一般知能で解決していると主張するのである．

ある認知システムが領域特異的であるとは，それがある機能に特化されているということ，つまり正確に限定された一連のタスクを実行するということである．チョムスキーが提唱した言語習得装置がその一例である．この装置の唯一の機能は，子どもの言語習得を可能にすることである．チェスの遊び方や数の数え方などを身につけるのには役立たない．この装置は言語以外の入力を無視するのだ．認知システ

図10　ミュラー＝リヤー錯視

ムが強制的であるということは，それを作動させるかどうかをわれわれが選択できないということである．言語の知覚がよい例である．自分が知っている言語で発話された文を聞けば，それを文の発話としてしか聞くことはできない．その文を「純粋な雑音」として聞くように言われたとしても，どんなに頑張ってもそれに従うことはできない．フォーダーは，すべての認知のプロセスがこのようなしかたで強制的であるわけではないということを指摘している．思考は，明らかに強制的ではないものの一例である．人生でいちばん怖かった瞬間や，宝くじが当たったらどうするかを考えてみろと言われたら，明らかにその指示に従うことができるだろう．このように，思考と言語知覚とはまったく異なるものなのである．

では，情報の遮蔽についてはどうだろうか．この考え方は，例を使って説明するのがいちばんわかりやすい．図10の2本の平行線を見ていただきたい．たいていの人には，上の線が下の線より少し長く見える．しかし，これは「ミュラー＝リヤー錯視」と呼ばれる目の錯覚である．実際には，2本の線は同じ長さなのである．

なぜ上の線が長く見えるかについては，さまざまな説明がなされているが，ここでは気にかける必要はない．重要なのは，錯視とわかっていても，線の長さが不揃いに見えてしまうということである．フォーダーによれば，この単純な事実が，心のアーキテクチャーを理解する上で重要な意味をもっている．なぜなら，この事実は，知覚メカニズムがアクセスすることのできないような，認知をつかさどる心の一領域に２本の線の長さが等しいという情報が格納されているということを，示すものだからである．もし，視覚がこのように遮蔽されておらず，心のなかにあるすべての情報を利用できるのであれば，２本の線の長さが等しいと言われた時点で，この錯視は消えてしまうはずであろう．

情報の遮蔽のもうひとつの例として，人間の恐怖症の現象が考えられる．たとえば，人間のあいだで広く見られるヘビ恐怖症を取りあげてみよう．毒腺が取り除かれているなどして，あるヘビが危険でないとわかっていても，そのヘビを怖がり，触ろうとしなかったりすることがある．このような恐怖症は訓練によって克服できることが多いが，それはまたべつの話である．重要なのは，「ヘビが危険ではない」という情報に，ヘビを見たときに恐怖の反応をもたらす心の部分がアクセスできないということである．このことは，人間にはみな，情報的に遮蔽された「ヘビに対する恐怖」モジュールが内蔵されている可能性があることを示唆している．

しかし，なぜ心のモジュールの問題が哲学に関わる問題なのか，と疑問に思われる向きがあるかもしれない．心がモジュール化されているかどうかは，科学的事実の問題にすぎないのではないだろうか．ある意味ではその通りである．しかし，この議論には数々の哲学的な側面がある．ひとつは，認知タスクとモジュールをどのように数えるかという問題である．モジュール仮説の支持者は，心には異なる認知タスクを遂行するための特殊なモジュールが存在すると主張し，反対の論者はこれを否定する．

しかし，ふたつの認知タスクが同じなのか異なっているのかは，どのように判断しているのだろうか．顔認識は単一の認知タスクなのだろうか，それとも男性の顔を認識することと女性の顔を認識することというふたつの異なる認知タスクをなしているのだろうか．筆算で行う割り算と掛け算は異なる認知タスクなのだろうか，それともどちらも算数をするという一般的なタスクの一部なのだろうか．この種の問いは，経験科学に委ねられるというより，むしろ概念的・哲学的な性格のものである．また，モジュールをめぐる論争にとってもきわめて重要な意味をもちうる．たとえば，われわれがひとつの認知能力を使って多くの異なるタイプの認知タスクを遂行しているという実験的証拠が，モジュール仮説に反対する論者たちによって示されたとしよう．この議論に反対する人たちは，たとえこの実験データを受け入れても，問題の認知タスクはすべて同じタイプであり，したがってそのデータはモジュール論とまったく矛盾しないと主張するかもしれないのだ．そこで，モジュール性に関する論争を明確にするためには，認知タスクとモジュールをどう数えるかについての原則的な方法が必要になるのである．

第二の哲学的側面は，モジュール性を支持する論者も反対の論者も，自らの見解の裏づけのために，直接的な経験的証拠だけでなく，ア・プリオリな議論を用いてきたことから生じるものである．フォーダー自身は，知覚と言語はおそらくモジュール化されているだろうが，思考と推論は「全体論的」であるため，モジュール化はできないと主張した．フォーダーの議論を理解するため，陪審員の一人として，どのような評決を下すかを審議する場にいるとしてみよう．どのように仕事に取り掛かればよいだろうか．まず，被告人の話がはたして論理的に一貫しているかどうか，つまり矛盾がないかどうかを検討するであろう．そして次に，被告人に不利な証拠がどれだけ強いものであるかを自問してみるであろう．ここで適用される，論理的に一貫しているかどうかをテストし証拠を評価する推論スキルは，一般的なものである．陪審員の仕事に使うように特化したものではない．それゆえ，被告人が有罪かどうかを審議する際に発揮される認知能力は，領域特異的なものではない．また，その作動も強制的なものではない．被告人が有罪かどうかは意識的に検討しなければならないが，昼休み中など，検討するのをやめたいときにはいつでもやめることができる．最後に，ここには情報の遮蔽もない．陪審員の仕事は被告人が有罪かどうかを総合的に判断することであるから，関連があると思えば，自分が持っている背景情報を，それがいかなるものであれ，利用する必要が出てくるかもしれない．たとえば，被告人が反対尋問で緊張して体を揺らしたとすると，緊張して体を揺らすことはしばしば有罪の兆候であると信じているならば，おそらくこの信念にもとづいて評決を下すことになるだろう．つまり，評決を下すために用いられる認知メカニズムは，どのような情報のストレージにもアクセスすることができるのである(裁判官からは何らかのことがらを無視するように言われるかもしれないが)．要するに，被告が有罪かどうかを決定するためのモジュールは存在しないのだ．この認知的問題には，一般知能を使って取り組んでいるのである．

心理学者のなかには，フォーダーよりもさらに進んで，心は完全にモジュール化されているとする論者もいる．これは「モジュール集合体仮説」として知られている．[★16] モジュール集合体仮説の支持者は，一般的な根拠にもとづいて，人間の心はモジュール構造をしたひとつの組織という形をとっているはずだと主張する．彼らの主な主張は，ダーウィンのいう適応を考慮したものである．人間の心は，ヒト科の祖先が直面した社会的・環境的課題を解決するために，更新世に進化したと広く考えられている．このような課題を解決し，適応的に行動するためには，モジュール化された組織がもっとも効率的であると彼らは考える．それぞれのタスクに特化した専用モジュールの集合は，より速く，より正確な問題解決を可能にするのだ．ここで喩えとしてスイス・アーミーナイフを取りあげてみる．缶切り，栓抜き，ネジ回しといった道具をべつべつに持っている方が，これらすべてをこなせるひとつの万能道具を持っているよりも明らかに望ましい．同様に，たとえば，顔認識，言語習得，交際相手の選択といったべつべつのモジュールを持つ心の方が，汎用的な問題解決能力を持つ心よりも効率的だろう．つまり，最適設計を考慮すると，心のモジュール性が有利に働くというのである．

これに関連する議論として，人間は一生かけても適応的に行動するのに必要な情報すべてを獲得することは不可能である，というものがある．学習する機会が少なすぎるというのである．そのため，心にはモジュールに収められた生得的な情報が必要であり，そのおかげで，子どもが適切な認知能力を身につけ，適応的に行動できるようになるというのである．チョムスキーの言語習得モジュールは，この点をよく表している．このモジュールには，あらゆる人間言語の文法についての生得的な情報が含まれており，子どもはきわめて少ない入力で言語を習得することができる．認知タスクを解決するために必要な情報と，学習によって獲得できる情報とのあいだのこのような「ギャップ」は，しばしばモジュール式の認知組織を支持する論拠として使われている．しかし，厳密に言えば，この議論は，モジュール性そのものを主張するものではなく，心には生得的な情報が含まれていることを主張するものである．このふたつは論理的には異なる考えであるが，実際にはモジュール性を支持する人は生得的な情報の存在を信じる傾向があり，その逆もまたしかりなのである．

こうしたモジュール性と生得性の結合関係は，モジュール性論争が哲学的に重要であるもうひとつの点を示している．心に生得的な情報があるという考えは，すべての知識は経験から得られるとする伝統的な経験論哲学と激しく対立する．17 世紀から 18 世紀にかけて，ジョン・ロックやデイヴィッド・ヒュームなどの経験論者は，人間の心は生まれたときには何も書かれていない「タブラ・ラサ」(白紙)であると主張した．経験によってのみ，人間は概念と知識を持つようになるのだ．この経験論の学説は由緒正しいものであり，はじめてこの説を聞くと，多くの人は明らかに正しいという印象をもつだろう．しかし，チョムスキーは，彼のいう言語習得モジュールは普遍文法に関する生得的な情報を含んでおり，それゆえ経験論哲学のこの側面を直接的に否定すると主張した．チョムスキーの主張が正しいかどうかは論争の的であったわけだが，もし正しいならば，科学的知見が従来の哲学的議論にどのような影響を与えるかについての興味深い一例となる．

モジュール集合体仮説が成り立つかどうかを判断するのは時期尚早である．この仮説に賛成ないし反対するア・プリオリな議論だけでは決着をつけることができない．直接的な証拠が必要なのだ．フォーダー自身はモジュール集合性を否定しており，それゆえ，認知心理学が人間の心の働きをくまなく説明する可能性については悲観的である．

彼は，科学的に研究できるのはモジュール化されたシステムだけで，モジュール化されていないシステムは，情報的に遮蔽されていないため，モデル化がはるかに困難だと考えている．したがって，フォーダーによれば，認知心理学者にとって最善の研究戦略は，思考や推論を脇に置いて，知覚と言語に焦点を当てることなのである．しかし，当然のことながら，このようなフォーダーの考えに対しては大きな異論がある[★17]．

7　科学とその批判者

多くの人びとは，科学が良いものであることは当然だと考えている．その理由は明白である．電気，安全な飲料水，ペニシリン，空の旅など，科学は間違いなく人類に恩恵をもたらしてきたからである．しかし，人類の福祉に対するこうした素晴らしい貢献にもかかわらず，科学に対する批判がないわけではない．社会が科学にお金をかけすぎて，芸術を犠牲にしていると主張する人たちがいる．また，大量破壊兵器のような，ない方がよい技術力を科学がもたらしたと主張する人たちもいる．フェミニストのなかには，科学は本質的に男性偏重だと主張する人たちもいる．宗教家たちはしばしば，科学によって自分たちの信仰が脅かされていると感じているし，人類学者は，西洋科学が地域や民族に固有の知識や信仰に対して優位であると傲慢にも思い込んでいると非難している．このように，科学に対する批判は枚挙にいとまがないが，ここではとくに哲学的に興味深い3つの批判に絞って紹介する．

科学主義

「科学的」という言葉は，現代では独特の地位を獲得している．非科学的な振る舞いだと言われるときには，ほぼ間違いなく批判の意味が込められている．科学的な行為は合理的で賞賛に値するのに対し，非科学的な行為は非合理的で軽蔑に値する．なぜ科学的と呼ぶことでこのような意味合いになるのかは不明だが，おそらく現代社会における科学の地位の高さと関係しているのだろう．科学者は専門家として扱われ，社会的に重要な問題について意見を求められるのが通例である．たとえば，1990年代前半にイギリス政府の科学顧問たちが「狂牛病は人体に脅威を与えない」と宣言し，それが悲劇的な誤りであったことが判明したという事件があった．しかし，このような問題がときおり生じても，科学に対する国民の信頼や，科学者が得ている尊敬が揺らぐことはない．多くの国では，科学者はかつての宗教指導者のように，一般の人びとが手に入れることのできない専門知識の持ち主だとみなされている．

科学主義とは，科学崇拝とみなされるものや，現代科学を行きすぎて礼賛する態度を表すために，非難の意味を込めて一部の哲学者が用いる言葉である．科学主義に反対する人びとは，科学は知的努力の唯一の適切な形態ではなく，また世界を理解するための唯一の方法でもないと主張する．彼らは，自分たちは科学そのものに反対しているわけではなく，科学的手法があらゆる対象に必ず適用できるという思い込みに対して反対しているのだ，と強調することが多い．つまり，彼らの目的は，科学を攻撃することではなく，科学的な知識が知識と呼びうるもののすべてであるという考えを否定し，科学にしかるべき位置づけを与えることなのである．

科学主義はかなりあいまいな立場である．この言葉が非難の意味で使われていることを考えると，自分がこの立場を信じているとあからさまに認める人はほとんどいないだろう．にもかかわらず，科学崇拝とでも呼ぶべきものが，われわれの知的風景のひとつの偽らざる特徴として存在している．これは必ずしも悪いことではない．おそらく科学は崇拝されてしかるべきものなのだろう．しかし，そうした崇拝が現実に見られることは紛れもない事実である．科学崇拝だとしてしばしば非難される分野のひとつに，現代の英米圏の哲学(科学哲学はその一部にすぎない)がある．哲学は，歴史的には数学や科学と密接な関係があるにもかかわらず，伝統的に人文学の一科目とみなされてきた．これにはしかるべき理由がある．なぜなら，哲学は知識の本質，道徳，人間の幸福など，科学的な方法では解決できないような問題を問うているからである．科学のどの分野であれ，われわれがどのように人生を歩むべきか，知識とは何か，人間の幸福とは何か，といったことを教えてくれるものはないのだ．

このように考えると，科学こそが知識を獲得するための唯一の理にかなった道であると主張する哲学者がいることは，意外に思われるかもしれない．科学的手段によって解決できないような問いは，真の問いとは言えないというのである．20 世紀のイギリスの哲学者バートランド・ラッセルは，「到達可能な知識はすべて，科学的手法によって到達されなければならず，科学が発見できないものは，人類が知ることができないものなのだ」と述べている[★18]．この考え方の根拠は，「自然主義」と呼ばれる立場にある．この立場では，われわれ人間は自然界の一部であり，かつて信じられていたような自然界から離れた存在ではないことが強調される．科学の研究は自然界全体に及ぶのだから，人間のありようについても科学が真理を完全に明らかにすることができるはずである．だから，哲学に残されたものは何もないのではないか，というのである．このような見方によれば，哲学には独自のテーマがあるわけではない．そもそも哲学が何かの役割をはたすことがあるとすれば，それは「科学的概念を明確化すること」にほかならない．つまり，科学者が仕事に専念できるよう，お膳立てをすることだというわけである．

当然ではあるが，多くの哲学者は，このようにして自分たちの学問を科学の奴婢にしようとは思っていない．このことが，科学主義に対抗する態度のひとつの源泉となっている．哲学の研究には独自の方法があり，これによって，科学では解明できないような真理を明らかにすることができると主張するのである．この考え方をとる人たちは，哲学は，科学が教えることと相反しないことを主張するという意味で，科学と整合的であることを目指すべきであると考えている．彼らは，人間は自然の摂理の一部であり，科学の範囲から除外されるものではないということもおおむね認める．しかし，だからといって，科学が世界に関する知識を獲得するための唯一の理にかなった源泉であるということにはならない，と主張する．

そもそも，哲学研究の方法とはどのようなものだろうか．論理的推論，思考実験の利用，そして「概念分析」と呼ばれるものがそれである．この最後の概念分析とは，ある特定の事例がそれに該当するかどうかについての直観にもとづいて，特定の概念の範囲を定めようとするものである．たとえば，哲学の古典的な問いとして，「知識は真なる信念と同じであるか」というものがある[★19]．多くの哲学者は，答えは「ノー」だと言う．ある人が特定の命題を真であると信じていても，それを知っているとは言えないという事例を考えることができるからである．（たとえば，あなたが今6時10分だと信じていて，それは時計がそう告げているからだとしよう．しかし，実際にはその時計は壊れていて，偶然にもそのときの時刻が6時10分であったとする．この場合，あなたの信念は真ではあるが，直観的には，あなたはたんに「運が良かった」にすぎない．それゆえ，6時10分であることを知識として知っていたのではないのである．）したがって，概念分析を用いることで，知識と真なる信念とが同一ではないことを証明することができる．これは実質的な哲学的真理である．これはほんの一例にすぎない．しかし，哲学研究が科学以外の方法を用いて真の知識を得ることができるという考えを例として示すものである．

この論争はどのように評価したらよいだろうか．一方では，正真正銘の哲学的な問いだと思わせる例があることはたしかである．それらは，どのような科学にも属さず，哲学者の独特な手法によって答えが得られるような問いである．しかし，これに対して，哲学の歴史において議論されてきた，知覚，想像，記憶などに関する問いの多くは，経験科学，とくに心理学が扱うべき問題であることが判明している．実際のところ，「哲学的」と分類される問いの蓄えは数世紀を経て減少し，科学に割り当てられるものが増えてきた．さらに，哲学研究と科学研究は自律的なものであって，それぞれが独自の方法に依存しているという考えは，希望的観測であるとして批判されている．科学の進歩があるのはたしかだが，哲学の進歩はかなり判別しにくいというのが批判の理由である．

また，自然科学と社会科学の関係にも同じような問題がある．哲学者が自分たちの学問分野での「科学崇拝」に不満をもつのと同じように，社会科学者もまた自分たちの学問分野での「自然科学崇拝」に不平を抱いている．物理学，化学，生物学などの自然科学は，経済学，社会学，人類学などの社会科学よりも進んでいると考えられることが多い．自然科学が予測力の高い正確な法則を打ち立てることができるのに対し，社会科学は通常，それを打ち立てることができない，というのがその理由である．では，なぜそうなのだろうか．自然科学者が社会科学者よりも賢いからというわけではあるまい．ひとつ考えられるのは，自然科学の**方法**がすぐれているからというものである．もしそうだとすれば，社会科学が追いつくために必要なのは，自然科学の手法を真似ることである．このことは，ある程度はすでに行われている．社会科学で数学の利用が進んでいるのは，このような姿勢の結果でもあるのだろう．物理学が大きな飛躍を遂げたのは，ガリレオが運動の記述に数学的言語を適用するという一歩を踏み出したときだった．社会科学の分野でも，それに匹敵するような「数学化」の方法が見つかれば，飛躍的な進歩を遂げることができるかもしれないと考えたくなるのである．

しかし，社会科学者のなかには，自然科学の手法が必ずしも社会現象の研究に適しているわけではないとして，自然科学をお手本にするべきだという指摘に抵抗する人たちもいる．彼らはおおむね，自然科学にくらべて社会科学が貧弱であることを否定する．社会現象は複雑で，対照実験をすることが通常できないのだから，予測力を持つ正確な法則を見つけることが成功の適切な指標にはならないと指摘するのである．

この議論のなかで影響力があるのは，19 世紀末のドイツのヴィルヘルム・ディルタイとマックス・ヴェーバーに由来するものである．彼らは，社会現象は，その原因となる行為者の視点から理解されなければならないと主張した．社会現象を自然現象から区別するのは，社会現象が人間の意図的な行為の結果であるという点である．そのため，社会科学の研究には，ある社会的行為が行為者にとってどのような主観的な意味を持つのかを把握しようと試みる「理解」(Verstehen)と呼ばれる独特の方法が必要である．たとえば，宗教儀式を研究する人類学者は，その儀式が参加者にとってどのような意味を持つのかを「理解」する必要がある．自然科学の手法を応用した純粋な「客観的」分析では，儀式の意味という決定的に重要なことがらが無視されてしまうため，真の理解は得られないのである．このように，「理解」という学説は，自然科学と社会科学の間に鮮明な不連続線を設定する．この学説は，とくに20世紀における人類学と社会学の発展に大きな影響を与えた．

科学主義の問題も，自然科学と社会科学が不連続であるかどうかという問題も，解決するのは容易ではない．その理由のひとつは，「科学の方法」あるいは「自然科学の方法」として，実際には何が含まれているのかが十分に明らかにされていないことである．この点は論争のどちらの陣営においてもしばしば見落とされている．科学の方法があらゆる問題に適用できるのかどうか，あるいはあらゆる重要な問いに答えることができるものなのかどうかを知りたければ，当然，科学の方法が具体的にどのようなものであるかを知っておく必要がある．しかし，これまで見てきたように，これは見かけほど簡単な問題ではない．たしかにわれわれは，実験による検証，観察，理論構築，帰納的推論など，科学研究の主要な特徴のいくつかを知っている．しかし，このリストは「科学的方法」の正確な定義を提供するものではない．また，そのような定義が可能であるかどうかも明らかではない．科学は時代とともに急速に変化するので，すべての科学分野でつねに使われる，固定的で不変の「科学的方法」が存在するという仮定は必然的なものではない．しかし，科学が知識への唯一の道であるという主張にも，これに反対する，科学的手法では答えられない問題があるという主張にも，この仮定は暗黙のうちに含まれている．このことは，科学主義に関する論争が誤った前提に立脚しているという可能性を，少なくともある程度は示唆するものである．

科学と宗教

科学と宗教とのあいだの緊張関係は古くからのものである．おそらくもっともよく知られているのは，ガリレオとカトリック教会との衝突であろう．1633年，異端審問官はガリレオに公の場でコペルニクス説を撤回することを強要し，晩年をフィレンツェで軟禁生活を送るよう宣告した．教会がコペルニクス説に反対したのは，それが聖書に反するという理由であったことは言うまでもない．近年，科学と宗教の衝突でもっとも目立つのは，アメリカにおけるダーウィニストとインテリジェント・デザイン論の支持者のあいだの激しい論争である．ここではこの論争に焦点を当てることにする．

ダーウィンの進化論に対する神学的な反対は，何ら新しいものではない．1859年に『種の起源』が出版されると，すぐさまイギリスの教会関係者から批判が浴びせられた．その理由は明白である．ダーウィンの説は，人間を含む現生種のすべてが，太古の共通の祖先に由来すると主張するからである．この説は，神が6日間ですべての生き物を創造したとする『創世記』の記述と明らかに矛盾する．ダーウィニストのなかには，『創世記』を文字通りに解釈すべきではなく，寓意的，あるいは象徴的に捉えるべきだと主張して，進化論に対する確信とキリスト教の信仰とを調和させようと試みてきた人たちもいる．しかし，アメリカでは，福音派のプロテスタントの多くが，科学的知見に合わせて自分たちの宗教的信念を曲げることに抵抗を抱いてきた．彼らは，聖書の天地創造の記述は文字通り真実であり，ダーウィンの進化論は完全に間違っていると主張している．

このような意見は「創造説」として知られており，アメリカでは成人人口の約 40 パーセントの人が受け入れている．創造説は強力な政治勢力を形づくっており，長年にわたってアメリカの高校での生物学教育に大きな影響を及ぼし，科学者たちを落胆させてきた．合衆国憲法は公立学校で宗教を教えることを禁じているため，ダーウィンの進化論よりも創造に関する聖書の記述の方が地球上の生命を科学的に説明できると主張する「創造科学」が生み出されることになった．つまり，彼らの考えでは，聖書の天地創造を教えることは，宗教ではなく科学とみなされるため，憲法上の禁止事項には違反しないことになるのだ．1981 年には，アーカンソー州で生物学の教師に対し，進化論と創造科学に同等の時間を割くように命じる法律が制定された．しかし，これは翌年連邦判事によって却下され，1987 年には最高裁判所で，公立学校で創造科学を教えることは違憲であるとの判決が下されることになった．

このような法的な敗北の後，創造科学運動は巧妙にも「インテリジェント・デザイン」という看板に掛け替えて再出発した．「インテリジェント・デザイン」とい名称は，神の存在を論証するための古い議論である「デザイン論」を連想させるものである．その主張は，複雑な構造をした生物体の存在は，知的な神がそれを創造したと仮定することによってのみ説明できるというものである．この神は通常，キリスト教の神と同一視される．この「デザイン論」は，ダーウィン以前の時代の知的世界では主流であったが，現代の生物学者たちにはもちろん否定されている．インテリジェント・デザイン論の支持者たちはこの議論を復活させ，生物はダーウィンのいうような方法では進化しえない「還元不能な複雑さ」を持っており，それゆえ神の手によるものであることを証明していると主張している．「還元不能な複雑さ」をもったシステムとは，システムの機能にとって欠かすことのできない多くの相互作用する部品を持つシステムのことである．どれかひとつの部品を取り除いたり改変したりするだけで，システムは崩壊してしまうことになる．生物にしても，個々の細胞にしても，その機能は数多くの生化学成分が協調してなされる活動に依るものである．それゆえ，それらがこの還元不能という意味で複雑であることは事実である．このような相互依存性は，自然選択によって進化することはありえない，とインテリジェント・デザイン論の陣営は主張する．

　最近，このような主張が目立つようになったが，これは新しい革袋に入れられた古いワインである．ダーウィンは『種の起源』のなかで，脊椎動物の目という非常に複雑な器官が，どのようにして自然選択によって進化したのかに疑問を抱き，一見するとこれは「不合理である」と述べている[★20]．しかし，ダーウィンは，単純な目(おそらく数個の光に反応する細胞)から段階的な改良の積み重ねによって現代の目に至る過程を想像し，その一つひとつの改良が選択における優位性をもたらしたのだと考えれば，この難問は解決できるだろうと考えた．このようなしかたで，細かく調整された構成要素を持つきわめて複雑な器官が，自然選択によって進化してきたことは可能だと考えられる．ダーウィン自身は，目の進化の中間段階がどのようなものであったかを推測することしかできなかった．しかし，最近の科学研究では，脊椎動物の種を横断して目の胚発生について研究し，詳細な遺伝子解析を行うことで，どのような段階が考えられるかに関する詳細な洞察が得られている．つまり，目は自然選択によって生じることはありえないという主張は見事に反証されたのである．この教訓を一般化すれば，生物は進化の過程では生じえないはずの特徴をもつという考えを支持する証拠はないことになる．

インテリジェント・デザイン論の支持者は，「還元不能な複雑さ」を強調するだけではなく，他の方法でもダーウィンの世界観を掘り崩そうと試みている．すなわち，ダーウィニズムを支持する証拠とされるものは決定的とは呼べないものなので，ダーウィニズムは確立された事実とみなされるべきではなく，たんなる理論にすぎないというのである．さらに彼らは，ダーウィニスト内部でのさまざまな論争に注目し，個々の生物学者がもらしたいくつかの不用意な発言を取りあげて，進化論に反対することが科学的に見てまともな振る舞いであることを示そうとする．そして，ダーウィニズムは「たんなる理論」にすぎないのだから，学生たちは，知性を持つ神がすべての生物を創造したという理論のような，べつの理論にも触れられるようにするべきだ，と結論づける．

ダーウィニズムが「たんなる理論」であり，事実として証明されたものではないというのは，ある意味では正しい．第2章で見たように，証明という言葉の厳密な意味からすれば，科学理論が「正しい」ことを証明することは不可能である．データから理論への推論はつねに非演繹的だからである．しかし，これは一般論として言えることであって，進化論それ自体と関係するわけではない．われわれは同様に，地球が太陽の周りを回っているのも，水がH_2Oであることも，支えを受けていない物体が落下する傾向をもつのも，「たんなる理論だ」と主張することができる．だとすれば，学生にはこれらのそれぞれに対するべつの学説が提示されてしかるべきなのである．しかし，インテリジェント・デザイン論の支持者は，このようなことは主張しない．彼らは科学全体に対してではなく，とくに進化論に対して懐疑的なのである．であるから，もし彼らの立場を擁護するのであれば，ダーウィンの理論が真であることをデータが保証していないというだけでは不十分なのである．なぜなら同じことが，あらゆる科学的理論に，それどころかほとんどの常識的な信念に，当てはまってしまうからである．

インテリジェント・デザイン論のもうひとつの主張は，とくにホモ・サピエンスの祖先とされるものに関して，化石の記録が不完全であるというものである．この主張にはいくらかの真実味がある．進化論者は長いあいだ，化石の記録における断絶に頭を悩ませてきた．解決されない謎のひとつは，ふたつの種の中間の生物である「移行化石」がなぜこれほどまでに少ないのかということである．もし，ダーウィンの理論が主張するように，後代の種が前代の種から進化したのであれば，移行化石はごくふつうに産出するはずではないだろうか．しかし，これはダーウィンの説に対する説得力のある反論にはならない．化石は進化論の裏づけとなる唯一の証拠ではないし，主要な証拠とすら言えないからだ．進化論に対するべつの証拠としては，比較解剖学，発生学，生物地理学，遺伝学などがある．たとえば，ヒトとチンパンジーのDNAの98パーセントが共通であるという事実を考えてみよう．もし，進化論が正しいとすれば，この事実やこれと類似する何千もの事実は全面的に納得のいくものであり，進化論に対するすぐれた証拠となるものである．もちろん，インテリジェント・デザイン論の支持者の側も，この事実を説明することができる．つまり，設計者には設計者なりの理由があってヒトとチンパンジーを遺伝的に類似させることを選んだのだとするのである．しかし，このような「説明」が可能であることが意味するのは，ダーウィンの理論が証拠によって論理的にもたらされるものではなく，原理的には他の説明も可能であるということにすぎない．この方法論的な指摘はたしかに正しいが，ダーウィニズムに特有の論点は何も示していないのである．

インテリジェント・デザイン論陣営の主張はおしなべて健全さに欠けている．しかし，この論争は科学教育に関する深刻な問題を提起している．科学と信仰のあいだの緊張関係は，世俗的な教育システムにおいてどのように扱われるべきなのだろうか．高校の理科の授業内容は誰が決めるべきなのだろうか．進化論やその他の科学的なことがらを子どもに教えたくないという親は，国によって制裁されるべきなのだろうか．このような疑問は通常，ほとんど世間の注目を集めることはない．しかし，ダーウィニズムとインテリジェント・デザイン論の対立により，この問題に光が当てられることになったのである．

科学は価値から中立なのか

科学的知識が，ときとして核兵器や化学兵器の製造のような非倫理的な目的のために使われることがあるのは，誰もが認めるところだろう．しかし，このようなケースがあるからといって，科学的知識そのものに倫理的に好ましくない何かが含まれているというわけではない．非倫理的なのは，科学的知識がどのように使われるかなのである．実際，多くの哲学者は，科学や科学的知識がそれ自体として倫理的であるか非倫理的であるかを語ることは無意味であると言うだろう．科学は事実に関わるものであり，事実それ自体には倫理的な意味などないからである．その事実を使って何をするかということについて，正しいか正しくないか，道徳的か非道徳的かが問われるのである．このような考え方をすると，科学は本質的に価値と関わりのない営みであり，その仕事は世界に関する情報を提供することのみにある．社会がその情報を使って何をするかは，べつの問題である，ということになる．

しかし，すべての哲学者が，科学が価値に対して中立であるとするこの科学観や，この考え方が依拠する事実と価値の二分法を受け入れているわけではない．一方で，科学的探究には必ず価値判断が伴うと主張する人がいる．その論拠のひとつは，科学者は何を研究すべきかを選択しなければならない，という明らかな事実にある．すべてのことを一度に調べることはできないので，科学者は研究対象になりうるさまざまな事象の相対的な重要性を判断しなければならないのだが，これは弱い意味では価値判断だというのである．これとはべつの主張としては，どのようなデータの集合であっても原理的にはふたつ以上の方法で説明できるという事実にもとづいたものがある．科学者が選択する理論は，データによって一義的に決定されるものではないのである．哲学者のなかには，こうした事実をもとに，理論の選択には必ず価値が伴うから，科学は価値とは無関係ではありえない，と主張する人もいる．第三の議論として，価値自由が主張するような，科学的知識をその応用から切り離すべしという要求には応えることができない，というものがある．この考えによれば，科学者が実際的な応用を考えずに，利害を超越して真理それ自身のために研究していると考えるのは素朴な態度である．今日，科学研究の多くが民間企業から資金提供されていることも，この考えの信憑性を高めている．

これらの議論は興味深いものではある．しかし，いずれもやや抽象的である．原理的に見て科学が価値と無関係ではありえないということは示しているものの，実際に科学のなかで価値が作用している事例を挙げているわけではない．とはいえ，科学が価値を帯びているとはどういうことかに関する具体的な主張もなされている．ここでは心理学および生物学からひとつ，医学からひとつ事例を取りあげることにする．

第一の例は，進化心理学という学問分野に関するものである．この学問分野は，ダーウィンの原理を応用して，人間の心理的構成とその結果としての行動を理解しようとするものである．一見したところ，このプロジェクトは非常に合理的に見える．なぜなら，人間は動物の一種にすぎず，ダーウィン理論が動物の行動とその心理的基盤について多くのことを説明できることは，生物学者も認めているからである．たとえば，なぜネズミが猫を本能的に恐れるかについては，明らかにダーウィン的な説明ができる．過去においては，この本能的な恐怖を持つネズミは，持たないネズミよりも多くの子孫を残す傾向があった．後者は食べられてしまったからである．この本能が遺伝にもとづくもので，したがって親から子へと遺伝すると仮定すれば，この本能が何世代にもわたって集団に広まっていったと考えられる．進化心理学者は，人間の心理の多くの側面が，このようなダーウィン的な説明を受けることができると考えている．

例として，人間の配偶者選好を考えてみよう．男性と女性では，結婚相手に求める属性が系統的に異なるという証拠がある．(ただし，この証拠の強さには議論の余地がある.) デイヴィッド・バスが行った大規模な比較文化調査によると，男性は平均して，女性の結婚相手が自分より年下で，しかも女性の生殖能力のピーク(24歳頃)に近い年齢であることを好むことがわかった．一方，女性は自分より年上の男性と結婚することを好んだ．さらに，男性にとっては肉体的な魅力がより重要であり，一方，女性にとっては収入の可能性がより重要であった．バスやその他の進化心理学者は，このような選好についてはダーウィン的な説明がつくと主張する．進化論的に言えば，オスは生殖能力の高いメスの配偶相手を見つけることが最良の戦略であり，それによってそのメスとのあいだにできる子どもの数が最大化される．一方，メスは，資源を支配し，子孫を養うことができる地位の高いオスを好んで見つけるはずである．(この最適な交配戦略の違いは，メスが限られた数の卵子しか持たないのに対し，オスは事実上無限の数の精子を持つため，メスにとって子どもたちの世話がより重要であることに由来する.) したがって，現代人の配偶者選好は，ダーウィンの自然選択によって説明できるのだ，と主張する．

人間の心理的特性が自然選択によって進化したという考え方は一見信頼できそうに思われる．しかし，進化心理学は物議を醸してきた分野であり，その実践者たちはイデオロギー的偏向を非難されてきた．この論争は，1970年代から1980年代にかけての「社会生物学戦争」にまでさかのぼる．社会生物学は進化心理学の前身であり，人間の行動をダーウィン的に説明しようとする姿勢を，進化心理学と共有していた．1975年に出版された『社会生物学』でこの分野を確立した

E. O. ウィルソンと，ハーバード大学の同僚リチャード・ルウォンティン，スティーヴン・ジェイ・グールドとのあいだで，一連の険悪なやり取りが交わされた．この論争は，ウィルソンが，攻撃，レイプ，外国人排斥など，人間の社会行動の多くには遺伝的基盤があり，それらは祖先の生殖能力を高めることで自然選択によって選ばれた適応形質なのだと主張したことから生じたものである．

社会生物学はさまざまな批判を集めたが，なかには厳密に科学的な立場からなされたものもあった．批判者たちは，社会生物学の仮説は検証が困難であるため，確立された真実ではなく，推測とみなされるべきであると指摘した．また，人間の行動に対する文化的影響を軽視すべきではないという指摘もあった．しかし，より根本的な異論として，社会生物学というプロジェクト全体がイデオロギー的に疑わしいと主張する人たちがいた．彼らは，社会生物学が，(たいていは男性による)反社会的な行動に弁明をあたえたり，ある種の社会的取り決めが必然的だと主張したりしようとする試みではないかと考えたのである．たとえば，レイプには遺伝的要素があり，ダーウィンが言う選択によって生じたのだと主張することで，社会生物学者は，それが「自然」なことであり，したがってレイプ犯はその行為には責任がなく，ただ遺伝的衝動に従っただけなのだと言おうとしているように思われたのだ．要するに，批判者たちは，社会生物学は特定の価値を帯びた科学であり，そこに担われた価値は非常に疑わしいものなのだとして告発したのである．

現代の進化心理学は，1970 年代から 1980 年代にかけての社会生物学にくらべると，多くの点で改善されている．進化心理学のもっともすぐれた研究は強力な経験的基盤を持ち，もっとも厳密な科学的基準に適合している．初期の社会生物学者の素朴な遺伝的決定論は，より洗練された図式に取って代わられている．遺伝子だけでなく文化的要因も行動に影響を与えることが認められ，異文化間の多様性も無視されることがなくなった．しかし，進化心理学は依然として批判を浴び続けている．その理由の一端は，進化心理学がその前身である社会生物学と同様に，人間性の「暗い」面を強調し，性，配偶行動，結婚に関することがらに焦点を当てて，男女間の生得的な心理的差異を想定していることにある．人間心理がはるかに多くのものを含んでいることを考えると，こうした焦点の当て方はいささか驚くべきものである．したがって，進化心理学は，かりにたんなる不注意によるものであるとしても，既存の固定観念を強化する役割を担っている，という非難を完全にかわすことは難しいのだ．

この非難に対するひとつの可能な応答としては，事実と価値の区別を主張することがある．進化心理学者のなかには，夫婦間の不倫あるいは「婚外交尾」は，長期的な配偶相手の遺伝的な質が低い場合，自分の子孫のために遺伝的な利益を獲得しようとして人間の女性が用いる進化した戦略であるという指摘をする人がいることを考えてみよう．これが真であるかどうかは，おそらく科学的事実の問題であろうが，答えるのは容易ではない．しかし，事実と価値とはまったくべつのものである．たとえ婚外交尾が進化的適応であったとしても，それが道徳的に正しいということにはならない．それゆえ，その研究対象がかなり選択的であるにもかかわらず，進化心理学はイデオロギー的に何ら疑わしいものはない．すべての科学がそうであるように，進化心理学も世界に関する事実を伝えようとしているにすぎない．ときにはその事実が気に障ることもあるが，われわれは事実と折り合いをつけて生きていく術を見出していく必要がある，こういう考えである．

科学が価値負荷的である可能性がある第二の例は，うつ病，統合失調症，拒食症などの精神障害を治療する医学の一分野である精神医学から取ることにする．精神障害(あるいは精神疾患)という概念をどのように理解すべきかをめぐって，精神科医と哲学者のあいだで現在も論争が続いている．ある陣営では，何かが精神障害であるかどうかはまったく客観的な問題であり，価値判断は関係ないとする「医学モデル」を採用している．精神障害と身体障害はこの点では類似しているというのである．たとえば糖尿病や肺気腫を患っている場合には，身体の機能が正しく機能していないのだが，これと同様に，うつ病や統合失調症の場合には，精神が正しく機能していないわけである．したがって，医学モデルにおいては，精神的な健康と病気の境界線は，身体的な健康と病気の境界線とまったく同様に，客観的なものなのである．

これとはべつの考え方として，精神障害は本質的に規範的なカテゴリーであり，暗黙的あるいは明示的な価値判断を伴うとするものがある．この考え方では，社会的期待から逸脱した行動パターンや，他者から「逸脱」とみなされる行動パターンがあれば，精神障害のラベルが貼られることになる．たとえば，西洋諸国ではごく最近まで同性愛は精神障害とみなされていた．1973年にアメリカ精神医学会がDSM(『精神疾患の診断と統計マニュアル』)から同性愛を削除したが，その際，学会員全員が賛成したわけではなかった．さらに，医療人類学者によると，ある社会が認める精神障害にはかなりの異文化差があり，DSMはその扱いに長いあいだ苦慮してきたという．したがって，精神障害が価値負荷的ないし規範的な概念であるという考えには，たしかに一理ある．この考えを支持する人たちは，ふつう，精神障害は真の医学的カテゴリーではなく，むしろ社会的統御の道具であると主張する．この議論を急進的なかたちにしたものは，アメリカの精神科医トマス・サースが1961年に出版した『精神医学の神話』★21という有名な本のなかで述べられている．

「医学モデル」と，精神障害を本質的に価値負荷的なものとみなす見解とのあいだの論争は複雑である．ひとつの問題は，心と脳の関係に関わっている．医学モデルに有利な点としては，少なくともいくつかの精神障害には神経的または神経化学的基盤があることが知られているということがある．それらの障害は脳の障害であり，多くの場合，脳回路の欠陥に原因を持つわけである．これは，精神医学の主流となりつつある考え方である．脳は身体の一部であるから，精神障害と身体障害のあいだに明確な二分法は存在しない．それゆえ，身体的障害というカテゴリーが価値負荷的ではなく客観的なものであることに同意するならば，精神障害についても同じことが言えるのではないだろうか，というのがその主張である．

この議論は強力であるが，ふたつの理由から決定的とは言いがたい．第一に挙げられるのは，小児期の自閉症やADHD〔注意欠如・多動症〕のようないくつかの精神障害については，それらが単一の統一された障害であるかどうかをめぐって，現在も意見が分かれていることである．これらの障害を特徴づける一群の症状は，併発することもあるがつねに併発するというわけではないし，また子どもによっても症状に大きな違いがあるからである．（自閉症が「スペクトラム障害」と呼ばれるのは，このためである．）さらに，これらの症状の多くは，診断基準を満たさない「正常な」子どもたちにもある程度認められる．つまり，精神機能が脳の神経経路や脳の化学構成に依存することを考慮したとしても，精神障害が身体障害と同じように客観的なカテゴリーであるとは言えないのである．

第二に，身体障害が客観的なカテゴリーであることにすべての関係者が同意しているわけではないことが挙げられる．哲学者のなかには，身体的であれ精神的であれ，障害や病気についてなされる語りは，本質的に規範的であり，価値負荷的なのだと主張する人もいる．身体的な障害に苦しんでいるということは，身体なりその一部なりが機能不全に陥っていること，つまり，本来あるべき姿で機能していないことを意味する．しかし，この「あるべき姿」は，規範的な次元を表しているのだ，と主張されるのである．身体の「あるべき姿」は誰が決めるのだろうか．人間の生理機能にはかなりの変動幅がある．視力は1.0の人もいれば，それより少し劣る人や，かなり劣る人もいる．人間の目はこうある「べき」だという線引きは，価値判断につながるのではないだろうか．たとえば，視力がそれほど重要でない社会では，境界線はおそらくべつの所に引かれるだろう．つまり，この考え方によれば，精神障害も身体障害も価値を帯びたカテゴリーなのである．

これに対して，ここでの規範性はあくまでも見かけ上のものにすぎないとして，医学モデルの補強に努めてきた哲学者たちもいる．彼らの主張では，身体や精神がどのように機能する「べき」かという話は，生物学的機能の概念を通じて，完全に客観的な方法で根拠づけることができるとされる．この意見を理解するために，人間の心臓のことを考えてみよう．心臓は血液を全身に送り出すと同時に，ドクドクという規則的な音を立てる．しかし，前者だけが心臓の機能であって，ドクドクという音の方は副次的な効果にすぎない．この機能と副次的効果との区別は，進化の歴史に客観的な根拠がある，という考えが広く受け入れられている．心臓が自然選択で選ばれ，今あるように存在するのは，血液を送り出すからであって，ドクドクと音が鳴るからではない．それゆえ，心臓が血液を送出しないということは，客観的に見れば，心臓の機能が低下しているということになる．医師が「心臓病」について語るとき，彼らは価値判断をしているのではなく，進化によって獲得された生物学的機能という意味で，心臓が本来はたす機能に照らしてそう述べているにすぎないというわけである．

精神障害についても同様のことが言えると，こうした論者は主張する．脳とその構成要素には生物学的機能があり，人間の脳がその機能を正しく遂行しない場合に，精神障害がもたらされるというのである．統合失調症やうつ病のような症状を精神障害と呼ぶのは，価値判断をしているのではなく，これらの症状をもつ患者では，進化を通じて獲得した機能を脳の何らかの部位が遂行していないという事実に訴えているにすぎない．つまり，精神障害と精神的な健康状態との境界線は，生物学的機能という概念によって，原理的に完全に客観的な方法で引くことができるのである．このようにして，医学モデルの支持者たちは，何が精神障害とみなされるかは，一般的な社会規範の反映ではなく，むしろ客観的な生物学的根拠を持っていることを示したいと考えている．しかしこの主張は，人間の進化の歴史についての，真偽が定まっていない仮定にもとづいている．そのため議論の余地がある．このような理由やその他の理由から，すべての精神科医や哲学者がこの主張を受け入れているわけではない．

最後に注意していただきたいのは，科学における価値負荷性(とされるもの)について挙げたふたつの例は，異なった種類のものであるということである．進化心理学の場合には，研究者が調査のために選定した特定の仮説や，彼らがそれに対して提示する対応が，既成の固定観念を強化するのに役立つという指摘がなされた．もしこれが本当だとすれば，科学の内容を適切に修正し，生じうるバイアスを排除し，より厳格な科学的基準を適用することによって，指摘されたような事態を改善することが原理的には可能だろう．精神医学の場合には，精神障害というカテゴリーそれ自体が価値負荷的であり，暗黙の価値判断を含んでいることが指摘されている．もしそうだとすれば，精神障害は精神医学の根本概念であるため，そもそもどのように改善されうるかはあまり明らかではない．つまり，この場合の価値負荷性は，より根深いものである可能性がある．

この章の結論を述べよう．科学という営みが，人類に対して明らかに恩恵をもたらしたにもかかわらず，さまざまな方面から批判を受けるのは避けがたいことである．科学者の発言や行動をすべて無批判に受け入れることは健全ではないし，むしろ独断的であるからだ．科学に対する批判を哲学的に考察することで，最終的な答えが得られるわけではないかもしれない．しかし，哲学的考察は重要な問題を選び出し，合理的でバランスのとれた議論を促すための手助けになることができるのである．

訳 注

第 1 章

★1　高橋憲一訳『完訳 天球回転論』みすず書房，2017 年．同じ訳者による『天球回転論』(講談社学術文庫，2023 年)には，原著全 6 巻のうち最初の巻と，ゲオルク・ヨアヒム・レティクス執筆の『第一解説』が収められている．

第 2 章

★2　「真理と確率」，伊藤邦武，橋本康二訳『ラムジー哲学論文集』勁草書房，1996 年，131 ページ．

★3　IBE は inference to the best explanation の略．

★4　Charles Darwin, *The Origin of Species by Means of Natural Selection*, 6th edition, 1872. 八杉龍一訳『種の起原』岩波文庫，1990 年改版，下巻，398 ページ．

★5　幼児への MMR ワクチン接種と自閉症の発症とを結びつけたイギリスの医師アンドルー・ウェイクフィールドの論文と，公衆衛生に対するその影響については，スティーヴン・ジェンキンズ『あなたのためのクリティカル・シンキング』(廣瀬覚訳，共立出版，2021 年)の第 6 章を参照．

★6　こうした信用度の更新を「ベイズ更新」(Bayesian updating)という．

第 3 章

★7　「独特の感じ」という言い回しは，トマス・ネーゲルに由来する．

★8　山口泰司訳『解明される意識』青土社，1998 年．

第 4 章

★9　Larry Laudan, 'A Confutation of Convergent Realism', *Philosophy of Science* 48 (1981), pp. 19–49.

第5章

★10　ラカトシュ・イムレは「クーンの見方によれば，科学革命は非合理的なものであり，群集心理の問題なのだ」と述べている．中山伸樹訳「反証と科学的リサーチ・プログラムの方法」，森博監訳『批判と知識の成長』木鐸社，1985年，253ページ．

★11　たとえば，『構造以来の道』(佐々木力訳，みすず書房，2008年)に再録された「私の批判者たちについての省察」(1970年)の「不合理性と理論選択」の節を見よ．

第6章

★12　たとえば，巻末の「読書案内」にある Nick Huggett と Carl Hoefer の論文を参照．

★13　一般に「自然種」でいう「種」(kind)が，「生物種」でいう「種」(species)よりも広い概念である点には注意．

★14　Charles Darwin, *The Origin of Species by Means of Natural Selection*, 6th edition, 1872, p. 42.　八杉龍一訳『種の起原』岩波文庫，1990年改版，上巻，75-76ページ．

★15　John Maynard Smith, *The Theory of Evolution*, Cambridge University Press, 1993, pp. 217f.

★16　モジュール集合体仮説(massive modularity hypothesis: MMH)は，Barrett, Kurzban, Carruthers らによって提唱された学説．

★17　「日本の読者のための読者案内」参照．

第7章

★18　Bertrand Russell, *Religion and Science*, Thornton Butterworth, 1935, p. 243.

★19　この事例は，現代認識論において，伝統的な知識の JTB 説(正当化された真なる信念(Justified True Belief))に対する反例として提出された，ゲティア問題として知られている．

★20　Charles Darwin, *The Origin of Species by Means of Natural Selection*, 6th edition, 1872, p. 143.　八杉龍一訳『種の起原』岩波文庫，1990年改版，上巻，241-242ページ．

★21　既訳では，T. サズ『精神医学の神話』(河合洋ほか訳，岩崎学術出版社，1975)．

読書案内

第1章　科学とは何か

Steven Shapin, *The Scientific Revolution* (University of Chicago Press, 1998)（『「科学革命」とは何だったのか』川田勝訳，白水社，1998年）は，17世紀科学革命に関するすぐれた文献．J. L. Heilbron (ed.), *The Oxford Companion to the History of Modern Science* (Oxford University Press, 2003)では，科学史の話題が詳しく論じられている．科学哲学の入門書には，Alexander Rosenberg, *Philosophy of Science* (Routledge, 3rd edition, 2011)（『科学哲学』東克明，森元良太，渡部鉄兵訳，春秋社，2011年，原著第2版からの邦訳）や Peter Godfrey-Smith, *Theory and Reality* (University of Chicago Press, 2003)など，良書が多い．Martin Curd, J. A. Cover, and Christopher Pincock (eds.), *Philosophy of Science: The Central Issues* (W. W. Norton, 2nd edition, 2012)には，科学哲学一般についての良質な論文と編者による豊富なコメンタリーが収められている．ポパーによる科学と疑似科学との境界設定の試みは，Karl Popper, *Conjectures and Refutations* (Routledge, 1963)（『推測と反駁』藤本隆志，石垣壽郎，森博訳，法政大学出版局，1980年）で読むことができる．ポパーの境界設定規準については，Donald Gillies, *Philosophy of Science in the 20th Century* (Blackwell, Part IV, 1993)で行き届いた議論がなされている．Stephen Thornton, 'Karl Popper', in Edward N. Zalta (ed.), The Stanford Encyclopedia of Philosophy, 〈http://plato.stanford.edu/archives/sum2014/entries/popper/〉は，ポパー哲学へのすぐれた入門的文献である．

第2章　科学的推論

Wesley Salmon, *The Foundations of Scientific Inference* (University of Pittsburgh Press, 1967)では帰納と科学的推論が明快に論じられている．帰納に関するヒュームの省察は L. A. Selby-Bigge (ed.), *Enquiry Concerning Human Understanding*

(Clarendon Press, 1966)(『人間知性研究』斎藤繁雄，一ノ瀬正樹訳，法政大学出版局，2004 年)の第 4 巻，第 4 節にある．Peter Lipton, *Inference to the Best Explanation* (Routledge, 2004)は，最善の説明を導く推論を詳しく論じた作品．因果推論に関する文献は，哲学，統計学，計算機科学の各分野に及ぶ．Peter Spirtes, Clark Glymour, and Richard Scheines, *Causation, Prediction, and Search* (MIT Press, 2001)は，この分野の野心的な研究である．ランダム化対照試験については，John Worrall, 'Why There's No Cause to Randomize', *British Journal for the Philosophy of Science* 58 (2007), 451-488 と Nancy Cartwright, 'What are randomised controlled trials good for?', *Philosophical Studies* 147 (2010), 59-70 を見よ．Ian Hacking, *An Introduction to Probability and Inductive Logic* (Cambridge University Press, 2001) は，確率と帰納を扱った良書．科学的推論に対するベイズ的アプローチは，Colin Howson and Peter Urbach, *Scientific Reasoning: The Bayesian Approach* (Open Court, 3rd edition, 2006)に詳しい．

第 3 章　科学における説明

ヘンペルの被覆法則モデルは，Carl G. Hempel, *Aspects of Scientific Explanation* (Free Press, 1965)(『科学的説明の諸問題』長坂源一郎訳，岩波書店，1973 年)で最初に提示された．Wesley almon, *Four Decades of Scientific Explanation* (University of Minnesota Press, 1989)は，ヘンペルの仕事をきっかけに巻き起こった論争を説明した文献として有益である．科学的説明に関する最近の詳しい議論と膨大な文献が，James Woodward, 'Scientific Explanation', in Edward N. Zalta (ed.), The Stanford Encyclopedia of Philosophy (Winter 2014 edition), 〈http://plato.stanford.edu/archives/win2014/entries/scientific-explanation/〉にある．意識は科学で説明できないという見解は，Colin McGinn, *Problems of Consciousness* (Blackwell, 1991)に見られる．高次の科学の自律性を多型実現の概念で説明するというアイデアは，Jerry Fodor, 'Special Sciences', *Synthese* 28 (1974), 97-115 で展開されている．Martin Curd, J. A. Cover, and Christopher Pincock (eds.), *Philosophy of Science: The Central Issues* (W. W. Norton, 2nd edition, 2012)には，還元主義のさらに詳しい議論がある．

第4章　実在論と反実在論

Anjan Chakravartty, ‘Scientific Realism’, in Edward N. Zalta（ed.）, The Stanford Encyclopedia of Philosophy（Winter 2014 edition）, 〈http://plato.stanford.edu/archives/spr2014/entries/scientific-realism/〉には，科学的実在論の詳細な分析と，豊富な文献一覧がある．バス・ファン・フラーセンによる反実在論の有力な擁護論については，Bas van Fraassen, *The Scientific Image*（Oxford University Press, 1980）（『科学的世界像』丹治信春訳，紀伊國屋書店，1986年）を見よ．ファン・フラーセンの仕事は，Clifford Hooker and Paul Churchland（eds.）, *Images of Science*（University of Chicago Press, 1985）で批判的に論じられている．Stathis Psillos, *Scientific Realism: How Science Tracks Truth*（Routledge, 1999）は実在論を擁護した一書．奇跡論法を最初に展開したのはヒラリー・パットナムだった．彼の *Mathematics, Matter and Method*（Cambridge University Press, 1975）, 69ff. を見よ．最近の分析として，Greg Frost-Arnold, ‘The No-Miracles Argument for Realism: Inference to an Unacceptable Explanation’, *Philosophy of Science* 77（2010）, 35–58がある．Kyle Stanford, ‘Underdetermination of Scientific Theory’, in Edward N. Zalta（ed.）, The Stanford Encyclopedia of Philosophy（Winter 2013 edition）, 〈http://plato.stanford.edu/archives/win2013/entries/scientific-underdetermination/〉では，決定不全性について有益な議論が展開されている．

第5章　科学の変化と科学革命

論理経験主義のオリジナル・メンバーによる重要な論文が，H. Feigl and M. Brodbeck（eds.）, *Readings in the Philosophy of Science*（Appleton-Century-Croft, 1953）に収められている．Alan Richardson and Thomas E. Uebel（eds.）, *The Cambridge Companion to Logical Empiricism*（Cambridge University Press, 2007）は，この運動をさまざまな視点から批判的に捉えたものである．Thomas Kuhn, *The Structure of Scientific Revolutions*（University of Chicago Press, 1963）（『科学革命の構造』青木薫訳，みすず書房，2023年）は，トマス・クーンのもっとも重要な作品．1970年よりあとに刊行された版にはクーンの「追記」が含まれている．クーンの後期の思想については，*The Essential Tension*（University of Chicago Press, 1977）（『科学革命における本質的緊張』安孫子誠也，佐野正博訳，みすず書房，2018年）

と *The Road since Structure*（University of Chicago Press, 2000)（『構造以来の道』佐々木力訳，みすず書房，2008年）を見よ．Alexander Bird, *Thomas Kuhn*（Acumen, 2000）はクーンの哲学を論じた良書．クーンの思想と遺産については，Paul Horwich (ed.), *World Changes*（MIT Press, 1993）と Thomas Nickles (ed.), *Thomas Kuhn*（Cambridge University Press, 2002）で検討されている．Alexander Bird, 'Thomas Kuhn', in Edward N. Zalta (ed.), The Stanford Encyclopedia of Philosophy (Fall 2013 edition), 〈http://plato.stanford.edu/archives/fall2013/entries/thomas-kuhn/〉には，クーンの仕事の便利な概観と豊富な文献情報がある．

第6章　物理学・生物学・心理学における哲学的問題

ライプニッツとニュートンのもともとの論争は，ライプニッツによる5本の論文と，ニュートンの代弁者であるサミュエル・クラークによる5つの回答から構成されている．これらのリプリントは，H. G. Alexander (ed.), *The Leibniz-Clarke Correspondence*（Manchester University Press, 1998）にある．絶対主義者と相対主義者のあいだの論争に関するすぐれた考察としては，Nick Huggett and Carl Hoefer, 'Absolute and Relational Theories of Space and Motion', in Edward N. Zalta (ed.), The Stanford Encyclopedia of Philosophy (Spring 2015 edition), 〈http://plato.stanford.edu/archives/spr2015/entries/spacetime-theories/〉がある．種の問題についての古典的な論考には，John Maynard Smith, *The Theory of Evolution*（Cambridge University Press, 1993）第13章がある．種に関する哲学研究の概説として役立つものとしては，Marc Ereshefsky, 'Species', in Edward N. Zalta (ed.), The Stanford Encyclopedia of Philosophy (Spring 2010 edition), 〈http://plato.stanford.edu/archives/spr2010/entries/species/〉を挙げておく．種の問題に関する歴史的な研究は，John Wilkins, *Species: A History of the Idea*（University of California Press, 2009）がある．モジュール性についてのジェリー・フォーダー自身の著述は，Jerry Fodor, *The Modularity of Mind*（MIT Press, 1983）（『精神のモジュール形式』伊藤笏康，信原幸弘訳，産業図書，1985年）を参照されたい．精神のモジュール化がどの程度に及ぶかについては，Jesse Prinz と Richard Samuels が，Robert Stainton (ed.), *Contemporary Debates in Cognitive Science*（Blackwell, 2006), 22-56 において論争を展開している．Philip Robbins, 'Modularity of mind', in Edward N. Zalta (ed.), The

Stanford Encyclopedia of Philosophy (Summer 2015 edition), 〈http://plato.stanford.edu/archives/sum2015/entries/modularity-mind/〉は，モジュラリティの問題を概要するのに便利である．

第7章　科学とその批判者

科学主義について研究した著作としては，Tom Sorell, *Scientism* (Routledge, 1991) がある．最近の論文集として役立つのは，Richard Williams and Daniel Robinson (eds.), *Scientism* (Bloomsbury, 2015) である．すべての真正な問いは科学によって答えられるという考えを擁護するものとしては，Alex Rosenberg, *The Atheist's Guide to Reality* (W. W. Norton, 2012) を参照．自然科学の手法が社会科学に適用できるかどうかの議論は，Martin Hollis, *The Philosophy of Social Science* (Cambridge University Press, 1994) でなされている．ダーウィニズムとインテリジェント・デザイン論の対立を扱ったすぐれた著作としては，Sahotra Sarkar, *Doubting Darwin?* (Wiley-Blackwell, 2007) および Niall Shanks, *God, the Devil, and Darwin* (Oxford University Press, 2004) がお薦めである．豊富な文献を交えて科学における価値負荷性についての包括的に論じたものとして，Julian Reiss and Jan Sprenger, 'Scientific Objectivity', in Edward N. Zalta (ed.), The Stanford Encyclopedia of Philosophy (Fall 2014 edition), 〈http://plato.stanford.edu/archives/fall2014/entries/scientific-objectivity/〉がある．Helen Longino, *Science as Social Knowledge* (Princeton University Press, 1990) はこの話題についての良書である．もともとの社会生物学論争を分析した本として，Philip Kitcher, *Vaulting Ambition* (MIT Press, 1985) がある．進化心理学のプログラムを設定したものとして，Jerome Barkow, Leda Cosmides, and John Tooby (eds.), *The Adapted Mind* (Oxford University Press, 1992) がある．それに対する詳細な批判は，David Buller, *Adapting Minds* (MIT Press, 2005) で見ることができる．この論争を概観するうえでは，Stephen Downes, 'Evolutionary Psychology', in Edward N. Zalta (ed.), The Stanford Encyclopedia of Philosophy (Summer 2014 edition), 〈http://plato.stanford.edu/archives/sum2014/entries/evolutionary-psychology/〉が役立つ．精神障害の概念に関するすぐれた議論は，Rachel Cooper, *Psychiatry and Philosophy of Science* (Routledge, 2007)（『精神医学の科学哲学』伊勢田哲治，村井俊哉監訳，植野仙経，中尾央，川島

啓嗣，菅原裕輝訳，名古屋大学出版会，2015年）および Christian Perring, 'Mental Illness', in Edward N. Zalta（ed.），The Stanford Encyclopedia of Philosophy（Spring 2010 edition），〈http://plato.stanford.edu/archives/spr2010/entries/mental-illness/〉にある．

日本の読者のための読書案内

原著者があげた文献以外に，日本語で読めるものをいくつか紹介する．（旧版のリストから，入手しやすさを考慮して若干を差し替えた．）

まず，科学哲学全般にわたる入門書の類として，次のものがある．

(1) 野家啓一『科学哲学への招待』(ちくま学芸文庫，2015 年)
(2) 戸田山和久『科学哲学の冒険──サイエンスの目的と方法をさぐる』(NHK ブックス，2005 年)
(3) 伊勢田哲治『疑似科学と科学の哲学』(名古屋大学出版会，2003 年)
(4) 森田邦久『科学哲学講義』(ちくま新書，2012 年)
(5) 小林道夫『科学哲学』(産業図書，1996 年)
(6) 中山康雄『科学哲学入門──知の形而上学』(勁草書房，2008 年)
(7) 八木沢敬『はじめての科学哲学』(岩波書店，2020 年)

(1)は，科学哲学を，歴史・哲学・社会という広いテーマのもとに概説したもの．17 世紀の科学革命において成立した科学という営みの進展を押さえたうえで，科学とは何かに関する狭い意味での科学哲学の議論を手際よく紹介している．科学が社会のなかで抱える問題についても解説がなされており，科学哲学の全体的なイメージを理解するのに役に立つ．著者自身の立場を知りたいという人には，『科学の解釈学 増補版』(ちくま学芸文庫，2007 年)が手ごろであろう．同じく，『パラダイムとは何か──クーンの科学史革命』(講談社学術文庫，2008 年)も挙げておく．

(2)は，先生と学生 2 人が対話する形式で書かれた平易な入門書．科学哲学全般にわたる基本概念の導入に続いて，科学的実在論を擁護する立場から実在論と反実在論のあいだの論争が整理され，そのうえで科学という活動が何であるかが考察される．科学的実在論の強みと弱みがバランスよく整理されている．同じ著者の『「科学的思考」のレッスン――学校で教えてくれないサイエンス』(NHK出版新書，2011年)，『哲学入門』(ちくま新書，2014年)もよい入門書である．

(3)は，占星術，超能力研究，東洋医学，創造科学といったいわゆる「疑似科学」を取りあげ，これらがなぜ「疑似」と言われるのか，疑似科学と科学のあいだに境界線は引けるのかといった問題を検討することで，科学とは何かを解き明かしていくユニークな入門書．同じ著者に『認識論を社会化する』(名古屋大学出版会，2004年)がある．また，物理学者・須藤靖との対談を収めた『科学を語るとはどういうことか――科学者，哲学者にモノ申す 増補版』(河出書房新社，2021年)は，科学と科学哲学の「緊張関係」を知るうえで必見であろう．

(4)は，科学や日常で用いられる推論の問題から説き起こし，哲学科学の標準的な話題を平易な言葉で解説した本．量子力学の解釈問題などについての議論も興味深い．同じ著者に『理系人に役立つ科学哲学』(化学同人，2010年)もある．

(5)は，近代科学の成立と特徴を押さえ，随時そこから実例を引き合いに出しながら，科学哲学の議論を紹介し，読者を考えさせていく．マッハ，ポアンカレなどの初期の科学哲学者も取りあげられている．(6)は，論理経験主義以来の科学哲学の要所に加えて，集団的認識論，社会構築主義などにも立ちいっているのが特色．(7)は，とくにクーンの登場前まで科学哲学で大きなテーマだった，真理，根拠，説明，理論などについて考えを深められるよう工夫し，またていねいに説明した書．

海外の教科書の翻訳としては，「読書案内」にあるアレックス・ローゼンバーグ『科学哲学』(春秋社，2011年)の他に，次のものが挙げられる．

(8)A. F. チャルマーズ『科学論の展開――科学と呼ばれているのは何なのか？ 改訂新版』(高田紀代志，佐野正博訳，恒星社厚生閣，2013年)

1980年代以来の定番の教科書ともいうべきチャルマーズのこの本は，クーン，ラカトシュ，ファイヤアーベントらのいわゆる新科学哲学についての解説が詳しい．改訂新版では，ベイズ主義や実験の哲学など，他書であまり読めないような内容についての章が加えられている．

科学哲学の歴史に関しては以下のものがある．

(9) 飯田隆編『哲学の歴史 第11巻――論理・数学・言語　20世紀Ⅱ』（中央公論新社，2007年）
(10) 伊勢田哲治『科学哲学の源流をたどる――研究伝統の百年誌』（ミネルヴァ書房，2018年）

(9) は，比較的新しい歴史記述の書．(10) では，19世紀半ばから20世紀半ばに至る科学哲学のあゆみが特異な視点で描かれている．

科学史と17世紀の科学革命を論じた本は汗牛充棟の観があるが，ここでは次の3点を挙げるにとどめる．

(11) 小林道夫編『哲学の歴史 第5巻――デカルト革命　17世紀』（中央公論新社，2007年）
(12) 山本義隆『一六世紀文化革命』全2冊（みすず書房，2007年）
(13) 山本義隆『重力と力学的世界――古典としての古典力学』全2冊（ちくま学芸文庫，2021年）

科学的実在論と反実在論の論争については，次の文献に詳しい．

(14) ラリー・ラウダン『科学と価値――相対主義と実在論を論駁する』（小草泰，戸田山和久訳，勁草書房，2009年）
(15) 松王政浩『科学哲学からのメッセージ――因果・実在・価値をめぐる科学との接点』（森北出版，2020年）
(16) 戸田山和久『科学的実在論を擁護する』（名古屋大学出版会，2015年）
(17) イアン・ハッキング『表現と介入――科学哲学入門』（渡辺博訳，ちくま学芸文庫，2015年）
(18) ヒラリー・パトナム『理性・真理・歴史――内在的実在論の展開』（野本

和幸，三上勝生，中川大，金子洋之訳，法政大学出版局，1994 年）

（15）は，因果・実在・価値をめぐるこれまでの科学哲学の議論の系譜をたどりながら，科学哲学は何を問題にしてきたか，科学哲学と科学の接点はどこにあるかという問いに答えようとする力作．「統計学の哲学」からの視点が特徴的．（17）は実験的実在論の古典である．

（19）G. W. ライプニッツ『ライプニッツ著作集 9—— 後期哲学』（工作舎，1989 年）
（20）稲岡大志『ライプニッツの数理哲学 —— 空間・幾何学・実体をめぐって』（昭和堂，2019 年）
（21）森元良太，田中泉吏『生物学の哲学入門』（勁草書房，2016 年）
（22）キム・ステレルニー，ポール・E. グリフィス『セックス・アンド・デス —— 生物学の哲学への招待』（松本俊吉監修・解題，春秋社，2009 年）
（23）コスタス・カンプラーキス，トビアス・ウレル編『生物学者のための科学哲学』（鈴木大地，森元良太，三中信宏，大久保祐作，吉田善哉訳，勁草書房，2023 年）
（24）網谷祐一『種を語ること，定義すること —— 種問題の科学哲学』（勁草書房，2020 年）
（25）松本俊吉編著『進化論はなぜ哲学の問題になるのか —— 生物学の哲学の現在』（勁草書房，2010 年）
（26）信原幸弘編『シリーズ 心の哲学』全 3 冊（勁草書房，2004 年）
（27）信原幸弘，太田紘史編『シリーズ 新・心の哲学』全 3 冊（勁草書房，2014 年）
（28）石原孝二，信原幸弘，糸川昌成編『精神医学の科学と哲学』（東京大学出版会，2016 年）
（29）石原孝二『精神障害を哲学する —— 分類から対話へ』（東京大学出版会，2018 年）

ニュートンとライプニッツの論争については（19）と（20）がある．生物学の哲学に関連するものが最近増えているが，(21)～(23)はその入門書．本書との関連では，(24)(25)が面白い．認知科学と心の哲学に関しては，文字通り膨大な文献がある．(26)(27)はその一例にすぎない．(28)は，いわゆる「精神病理学寄り」の臨床医が抱える問題意識の一端を教えてくれる．(29)は対話や当事者研究にまで踏み込んだ本である．

最後に，因果性と確率・統計を扱った本を紹介しておく．

(30)スティーヴン・マンフォード，ラニ・リル・アンユム『哲学がわかる　因果性』(塩野直之，谷川卓訳，岩波書店，2017年)

(31)ダグラス・クタッチ『現代哲学のキーコンセプト　因果性』(相松慎也訳，岩波書店，2019年)

(32)ダレル・P. ロウボトム『現代哲学のキーコンセプト　確率』(佐竹佑介訳，岩波書店，2019年)

(33)エリオット・ソーバー『科学と証拠——統計の哲学入門』(松王政浩訳，名古屋大学出版会，2012年)

(34)大塚淳『統計学を哲学する』(名古屋大学出版会，2020年)

(直江清隆，廣瀬 覚)

訳者あとがき

第2版の性格

本書は，A Very Short Introduction シリーズの一冊として編集された Samir Okasha, *Philosophy of Science: A Very Short Introduction*, 2nd ed., Oxford University Press, 2016 の翻訳である．初版は 2002 年であり，その翻訳は 2008 年に岩波書店から『科学哲学』として刊行されている．幸いにして同書は好評を得て増刷を重ねてきたが，今回は第2版をもとに訳し直したものである．著者のサミール・オカーシャはイギリスのブリストル大学で教鞭を執る科学哲学者で，その他の著作として，*Evolution and the Levels of Selection*（2006），*Agents and Goals in Evolution*（2018），*Philosophy of Biology*（2019）がある．

初版と第2版を見比べたとき，オカーシャは第2版で，初版における説明の仕方を丹念に見直し，事例を入れ替えたり長文の加筆をしたりするほか，内容の一部を差し替えて話題のアップデートを図るなどしている．とりわけ，第6章，第7章での改訂が顕著であり，その箇所では著者の専門とする生物学の哲学に関する話題も取りあげられている．それゆえ，本書は初版のたんなる増補版というよりも，改訂版という性格をもっている．著者が最新の視角から問題を切り出し，簡明に整理していく手際とテンポのよさは初版と同様であるが，入門書としてより使いやすくなり，完成度も高められている．また，著者自身の問題関心もより読み取りやすくなっていると言える．

科学と科学哲学

本書におけるオカーシャの説明は簡潔にして網羅的なので，屋上屋を架すようなことはなるべく避けたい．そこで，「科学哲学」とはどういうことかについて本文とは違った視点からの議論をいくつか紹介してその任に替えることにしたい．

さて，科学とは何か，科学における方法とは何かを哲学的に探ろうとするのが「科学哲学」だといわれる．しかし，哲学と科学が互いに何の関係があるのだろうかという疑問が投げかけられることも多い．哲学が，知識や善の本質といった決して解決されることのない深遠な問題にかかずらっているのに対し，科学は，具体的で客観的な事実にのみ関心がある，だから，「科学哲学」という表現は矛盾を含んだ言葉なのではないかというのである．また，科学の成果が現代社会や私たちの世界観を大きく変えることに着目する視点にたって，いくぶん共感的な尋ね方をして，「科学哲学」は科学研究の地位や意義，科学が私たちの価値観に与えた影響などに関わるのではないか，という言い方をされるときもある．

しかし，すぐに気がつくように，これらの多くの場合に，「科学」はできあいのものとして固定的に扱われている．「科学」や「科学の営み」，「科学的知識」が何であるかは自明のこととして棚上げされてしまっているのだ．そうだとするならば，むしろ科学哲学の役割は，このように得てして自明と見なされてしまっている「科学」とは何かを哲学的に問うことにあると言ってもよい．科学哲学という学問領域には，論理実証主義(本文では「論理経験主義」という言葉が採用されている)以降の流れに話を限ったとしても，こうした問いに対するさまざまな議論が蓄積されている．

一方，狭い意味の哲学の世界においてではなく，現実の科学において科学とは何かに関わる問いが生じることもある．いま，地球温暖化を例にとってみよう．

現在では地球温暖化が深刻な環境問題として広く受け入れられている．ところが，ひと昔前にはこの問題をめぐる科学論争があったことや，地球温暖化が神話であると主張する政治家やジャーナリストがいまなお存在することも知られていよう．ここで次のようなことを問いうるだろう．どのようにして地球温暖化は科学的事実であると結論されるに至ったのだろうか，化石燃料の消費に由来する温室効果ガスが温暖化の原因だという主張にはどの程度の信頼性があるのだろうか，地球温暖化はひとつの科学的モデルなのだろうか，それとも世界の実在的な出来事なのだろうか，不確実性を含んだなかでの将来の予測はなにを意味するのだろう，などである．こうした問題を解こうとするとき，哲学が特権的な位置を占めるのではなく，当該領域の科学者をはじめとするさまざまな人びとも重要な役割を演じることはもちろんである．しかし，科学哲学でこれまで論じられてきた理論，説明，推論，確証，モデル，実在性などの一連の概念や，より具体的な因果性や確率や不確実性などの概念がそこに関わりうることも，また了解されるであろう．（因果性や確率については，A Very Short Introduction シリーズでは別著が立てられ，それぞれに邦訳もある．）あるいは，逆に，こうした事柄を扱うなかで科学哲学に新たな発展がもたらされることも指摘されるであろう．さらに，こうしたことを考慮したうえで，地球温暖化対策として誰の利益（現在世代の利益なのか未来世代の利益なのか，など）を考慮すべきなのか，相反するニーズに対してどのような重み付けをすべきなのか，どのように政策を立てるべきなのか，などの科学を超えた哲学的・倫理学的な議論が立てられることになるが，それはやや別途の話である．

科学哲学による分析がいつでも，あるいは果たして現実の科学の役に立ちうるかどうか，あるいは役に立つべきであるのかどうかについては，散々議論されてきたが，いまはさておくことにしよう．しかし，科学の土台に向かおうとする科学哲学のおよその方向性はこの事例から見てとれよう．本書ではこうした仕方で，科学や，科学における方法を扱う「科学哲学一般」とも呼ばれる領域の議論が紹介されることになる．

科学哲学者と科学者の対話

歴史的に見ると，科学哲学一般は，科学的方法，説明，理論の確証など，すべての科学にあまねく妥当することがらを探究し，それらが普遍的に適用されることを念頭に置くものであった．その際，体系的に成功した科学である物理学が見習われるべきモデルとされることが多かった．とりわけ20世紀前半に論理実証主義によって唱えられた統一科学の試みでは，言語的形式化とともに，科学全体を共通する方法的な基礎に基づいて統一すべきことが主張されたが，現在ではその失敗は明らかになっている．このような還元主義が，科学哲学は経験とはかけ離れた問題を扱っている，過度に単純化されているといった批判を，外から浴びる一因になってきたことも否めない．現在の科学哲学一般の研究ではこうした規範的な主張がなされることはほとんどないが，科学哲学一般と同時に，化学の哲学，生物学の哲学，認知科学の哲学，神経科学の哲学など，多くの下位分野が分立するに至っている．量子力学や時空理論の哲学もその一つとしてある．これらは

「個別科学の哲学」とも呼ばれ，第6章でも扱われている．

個別科学の哲学では，それぞれの分野ごとの興味深い主題や手法に哲学的分析が向けられる．たとえば化学の哲学は，化学的概念に関する分析を行い，化学と他の科学(とくに物理学)との理論的関係を特徴づけることを目的とし，また，化学の多様な方法，特に実験室での実践に由来する方法についての研究もそこに含まれている．この分野の国際学会や『ヒュレー』という学会誌もある．また，生物学の哲学においては現場の科学者とのコラボレーションも行われている．この動向については次のように述べられている．

> 数多くの若い科学哲学者が，生物科学にみられるスリルに満ちた発展に注意を向けた．そのさい，分子生物学の進展ばかりにではなく，伝統的な領域(とくに進化生物学)が目下いかにして新たな考え方を発展させ，第一級の頭脳の心を引きつけているのかについても注意を向けたのである．こうした哲学者たちは，科学にはこれまで顧みられなかった重要な部分があることに気づいて，経験的研究によって日々立てられるさまざまな概念的問題を理解し，それらの問題に取り組もうと考えるようになった．これに加えて，数多くの生物学者が彼らの科学における諸問題を明確にするための手助けとして真剣に哲学に取り組みはじめた．彼らはよき経験的研究にとって探究の指針を与える理論やモデルに対するしっかりとした哲学的基盤が必要であるということを理解したのである．こうした哲学者と生物学者は互いに励ましあい刺激しあいながら，進化論的説明の本質やダーウィンの自然選択のメカニズムが果たす役割や，生物学がどの程度自律的な科学であるか，

目的論や歴史性のような問題が生命科学を物理科学に還元できない異なった何かであると特徴づけるのか，あるいはそれらは成熟した科学からは究極的には脱落することになる問題なのかといった課題に取り組んだのである．（D. Hull, M. Ruse (ed.), *The Cambridge Companion to the Philosophy of Biology*, Cambridge University Press, 2007）

科学哲学の研究者で，現場の科学研究とまったく接点をもたないでよいと考える人は多くはないであろう．しかし，実際のところ，それぞれの問題関心や議論のスタイルの違いもあって，科学者と科学哲学者との議論は得てしてかみ合わないままに終わりがちである．それゆえ，引用中にあるような科学哲学者と科学者とのコラボレーションがうまくいくとしたら，それは科学の知識と科学哲学の分析とが相互に影響しあってそれぞれに成果を挙げうる可能性を示すことになるかもしれない．他方，個別科学のそれぞれの概念や方法の多様性に着目し，個別分野との共同作業がなされた結果，細分化された「〜学の哲学」という下位分野が乱立することになれば，また問題が生じてくることになる．より専門的な文献の多くは，その分野の科学哲学の専門家でなければアクセスできないものとなってしまうのだ．そしてすでにその傾向は指摘されてきている．

こうした「〜学の哲学」への細分化のなかで，科学哲学一般にはどのような役割が認められるのであろうか．あるいは御用ずみなのであろうか．このあとがきでは，この点についていくつかの考え方の方向を紹介しておくことにしよう．

科学的知識が成長していくための共同体の連鎖

そのひとつはフィリップ・キッチャーの考えである．彼は，科学哲学一般の課題が，科学の方法に関係する一連の基礎概念に対して一般的な説明を提供することとされてきたことを取りあげ，「確証，理論，説明，法則，還元，因果関係について，多様な科学分野や異なる時代をまたいで適用できるような一般的な説明はないし，そのようなものが手に入れられる見込みもない」(Philip Kitcher, Toward a Pragmatist Philosophy of Science, *Theoria* 77, 2013, p. 188)と主張する．ここで念頭に置かれているのは，本書でも取りあげられたヘンペルらの議論であり，その「科学哲学」のプロジェクトに対する懐疑が含まれている．その理由としてキッチャーが挙げるのが，科学的実践の多様性である．歴史的な多様性についてもいろいろ言われているが，いま関心があるのは科学の分野の多様性である．たとえば，素粒子物理学の「方法論」は遺伝学のものとはまったく異なるし，気候学や考古学のものとはさらに異なるであろう．若手はそうした方法論を身につけることによってその分野の科学者になるのだが，方法論には手法などだけでなく，「確証，理論，説明，法則，還元，因果関係」も含まれると考えられる．そうした場合，多様な分野に共通するものは何だろうか．キッチャーは，それは「「薄い」一般的な概念」にすぎないとし，そうしたものは概念として弱すぎて大して役に立たないと主張する．

キッチャーの発言は直接，「個別科学の哲学」と「科学哲学一般」の関係に触れたものではない．しかし，「科学哲学一般」のあり方に深く立ち入っている．いま多様な分野に共通するということについて考えてみよう．場面は幾分異なるが，学際系の学会において論文の評価をするときなど，それぞれの分野で学問的手法や評価基準が異なり，どう評価するかで議論が交わされることがある．よくあるのは，分野に共通するものとして形式的な基準だけを定めるというやり方であるが，これなども学術論文の要件に関する「薄い」概念と言ってよいであろう．もしこうした科学的実践の方法とは別のことを問題にするとすれば，科学哲学はメタ科学的な概念を明らかにするという「哲学的」な課題に向かうことになる．その場合，その焦点は哲学の内側に向けられ，トピックは絶えず縮小し，科学的実践とは縁遠くなってしまう．キッチャーが批判するのは，旧来の科学哲学が想定する個人的な「合理的な主体」によって用いられるとされる「科学的な方法」であり，その構成のための「科学哲学一般」である．

キッチャー自身の主張に深く立ち入ることはできないが，簡単に彼の代替策を見ておくことにしよう．キッチャーは，プラグマティズムの伝統にある科学哲学者である．それゆえ，上の発言も歴史相対主義をはじめとする相対主義に与するものではない．また，第4章で取りあげられた非実在論の立場に立つものでもない．彼が提唱するのは，デューイの探究共同体にもなぞらえられうる「集団的探究へのアプローチ」(Kitcher, 2013, p. 216)である．科学的知識について考えることは，科学的知識が成長していくための，共同体の連鎖について考えることである．その際，科学者共同体において特定の形式ないし態度が共有され，この共有された視点がさまざまな方法で精緻化されることになる．そこで，概念や方法ではなく，こうした集団による探究の過程を適切に解き明かすことが重要となる．

この探究の過程は，合意と多様性というふたつの側面から，たとえば次のように説明される．探究のはじめには，それまでの探究の積み重ねに従って，探究の共同体のメンバーのあいだで実践のための一連の基準や規範，あるいはリソースの分配について合意されているが，一方で，どの問題が重要なのか，どの方法がその問題に取り組むのに適切なのかなどについて合意を超えた多様な意見が存在する．探究が進行し，その最終場面では，到達した結論がメンバーによって検証され，各自の実践の基準によって判断されるが，個々の判断がどのように分布するかに照らして，ルールに従って，当初合意された実践の枠組みが修正される．そして，次の探究が始まる，という具合である．このようにして科学哲学の課題は，理想的な方法や科学者共同体はどのように構成すればよいかなどではなく，歴史的事例や実際の科学実践に基づきながら，さまざまなタイプのルールやインセンティブ構造が，集団的探究の目的達成に対してどのような影響を及ぼすかを規範的に理解することだとされる．

連続性，統一性と差異をどう特徴づけるか

これに対して，「科学哲学一般」により積極的な役割を見いだそうとする考え方もある．たとえば，第1章で取りあげられた科学と疑似科学の境界設定に関係して，素粒子物理学であれ遺伝学であれ，科学と呼ばれるものには緩い連続性と統一性があるとする路線がある．ヴィトゲンシュタインの概念を用いて，部分的に共通する特徴によって全体が緩くつながっているという意味で，多次元的な「家族的類似」関係によってつながっているなどと言われる（Massimo Pigliucci, The Demarcation Problem, in M. Pigliucci, M. Boudry (eds.), *Philosophy of Pseudoscience*, University of Chicago Press, 2013）．これは科学の分野の多様性を織り込みながらも，科学哲学一般に道を見いだすものに思われる．しかし，科学の知識や実践がそれ以外の知識や実践，たとえば日常的な知識からどのような点で際立つというのだろうか．証拠によって裏づけられている，説明的な内容をもつ，他の科学的な理論との整合性がある，体系的であるなどが挙げられる．これらは「「薄い」一般的な概念」と呼ぶには内容的な含みをもっているかもしれない．しかし，やはりかなり大雑把な括りである．まず類似するさまざまな実践があってそこから科学の概念が構成されるのだろうか，そうではなく，まず科学とは何かを捉え，それから類似点を探るということのほうがより適切なのではないか．このように考えることで，科学と呼ばれるものの特徴を記述するのではなく，科学とは何かを批判的に検討するというもうひとつの路線が出てくることになる．

最後にこの考え方の路線を紹介することにしよう．ただし，最後に出てくるのだからもっとも妥当な考えだというわけではない．シロスの考えがその一例である（Stathis Psillos, Having Science in View: General Philosophy of Science and Its Significance, in Paul Humphreys (ed.), *The Oxford Handbook of Philosophy of Science*, Oxford University Press, 2015, pp. 137-160）．いま問題にしてきたのは，さまざまな科学の間に存在する統一性を，その差異にもかかわらず，どのように特徴づけるかであった．彼が問うのは，この点についていかにして根拠のある判断を下しうるかである．

いま，科学の実践を特徴づける概念をいくつか挙げてみよう．科学によって獲得される知識は，さまざまな現象を説明し，因果関係を解明し，証拠によって裏づけられる．科学は理論や仮説，原理を用い，予測を行い，実験を頼りにする．理論は現象を表し，理論的概念とモデルに依存する，などなどがあろう．これらは科学を一般に特徴づける概念のネットワークのほんの一例である．これらの概念はネットワークをなしていて，ある概念についての説明が他の多くの概念の説明に必ず絡むというように相互に関連づけあう関係を形づくっている．これらは科学一般においてとともに，個別科学のなかでも役割を果たしている．これらの概念の大部分を欠いた科学は考えがたいからである．

ふり返ってみると，科学は，世界を特別な方法によって知るものである．科学は単なる意見とは違って，私たちの日常的に与えられる世界の概念を一定の方法によって拡張し，拡大する．どんなにかけ離れた学問分野であっても，このことは変わらない．上の一連の概念は，科学を科学として成り立たせるためのツールボックスをなしている．それゆえ，科学哲学一般の役割はこれらに対する説明を提供し，また正当化をはかることであると主張されることになる．（ただし，論理実証主義が言うような言語的形式化が必要なわけではなく，また，科学と疑似科学の境界設定にどれほど役立ちうるかについては幾重もにわたる留保を要する，ということは付け加えておこう．）当初の科学哲学一般が物理学中心であったとしても，以上は各科学との関係においてより多元的になりうるし，個別科学の哲学とシームレスなウェブを形成しうる．この点が新しいところである．これに対して個別科学の哲学は，研究対象となる科学や学問分野そのものとの関わり，その分野のさまざまな理論の解釈に従事する点では科学哲学一般とは区別されることになる．

少し前まで，科学哲学と言えば本書で繰り広げられているような科学哲学一般の議論を指していたと言ってよいくらいであった．現在，個別科学の哲学が分立し，科学哲学一般の立ち位置も大きく変わってきている．その立ち位置をめぐる議論の一端はいまご紹介した通りである．見かけほど立場の違いは大きくないと感じた人もいるであろう．他方，個別科学の哲学を学んできた人に，ポパーの反証主義について話したところ，そんな議論があるんですかと驚かれたという，笑えない話も聞こえてくる．「〜学の哲学」にとどまらず，本書を通じて，科学とは何か，科学における方法とは何か，科学的証拠とは何だろうか，あるいは科学の実践は他の実践とどう関わっているかなどの問いに向きあってみることも，やはり意義があるのではないだろうか．科学哲学がそれ自体で科学を前進させることはないかもしれない．しかし，科学に対する私たちの理解を深化させ，私たちの文化における科学の意味を考えることに貢献しうるであろう．

このたびの翻訳では，最初の５つの章を廣瀬が，最後の２つの章を直江が担当した．

本書の刊行に当たっては，岩波書店編集部の松本佳代子氏から理解しやすい本にするべく，多大なお力添えをいただいた．もし幸いにして本書が旧版に引き続き読者に広く受け入れられるとすれば，それは氏のご尽力に依るところが大きい．記して感謝する次第である．

2023 年 8 月

訳者を代表して　直江清隆

索　引

それぞれの項目について，理解に資すると思われるページをあげた．イタリックで示したページは，当該の項目を主題とした章や節を表す．

あ行

か行

さ　行

た　行

な・は行

ま・や行

ら・わ行

サミール・オカーシャ
Samir Okasha
メキシコ国立大学，ヨーク大学などを経て，現在，ブリストル大学教授．オックスフォード大学で博士号取得，専門は生物学の哲学．*Evolution and the Levels of Selection*（Oxford University Press, 2006）によってラカトシュ賞受賞．

直江清隆
東北大学大学院文学研究科教授．専門は哲学，共著に『科学・技術と社会倫理』(東京大学出版会，2015)，編著に，『高校倫理の古典でまなぶ　哲学トレーニング』(全2巻，岩波書店，2016)などがある．

廣瀬覚
仙台市医師会看護専門学校非常勤講師．翻訳書に，S. H. ジェンキンズ『あなたのためのクリティカル・シンキング』(共立出版，2021)，G. プリースト『論理学超入門』(共訳，岩波科学ライブラリー，2019)などがある．

哲学がわかる 科学哲学 新版　　サミール・オカーシャ

2023年9月14日　第1刷発行

訳 者　直江清隆（なおえきよたか）　廣瀬覚（ひろせさとる）

発行者　坂本政謙

発行所　株式会社 岩波書店
〒101-8002 東京都千代田区一ツ橋 2-5-5
電話案内 03-5210-4000
https://www.iwanami.co.jp/

印刷・精興社　製本・松岳社

ISBN 978-4-00-061609-6　　Printed in Japan